SUEÑOS Y ESPERANZAS

LA HISTORIA DE
BARACK OBAMA

Steve Dougherty

Grupo Editorial Tomo, S.A. de C.V.,
Nicolás San Juan 1043,
03100, México, D.F.

3 1232 00886 7956

1a. edición, julio 2008.

Hopes and Dreams.
The Story of Barack Obama
Copyright © 2008 by
Black Dog & Leventhal Publishers, Inc.
151 West 19th Street
New York, NY 10011

© 2008, Grupo Editorial Tomo, S.A. de C.V.
Nicolás San Juan 1043, Col. Del Valle
03100 México, D.F.
Tels. 5575-6615, 5575-8701 y 5575-0186
Fax. 5575-6695
http://www.grupotomo.com.mx
ISBN-13: 978-970-775-381-5
Miembro de la Cámara Nacional
de la Industria Editorial No. 2961

Traducción: Silvia Núñez y Graciela Frisbie
Formación tipográfica en español: Armando Hernández
Diseño de portada en español: Trilce Romero
Supervisor de producción: Silvia Morales

CONTENIDO

SUEÑOS Y ESPERANZAS

OBAMAMANÍA

Antes de que anunciara formalmente su campaña para la nominación de su partido, buscando llegar a ser el primer presidente de raza negra en la historia de Estados Unidos, Obama, hablando con reporteros después de ganar la carrera para el Senado en el 2004 (arriba, derecha); celebrando su victoria (arriba) con su esposa, Michelle y sus hijas, Malia y Sasha; y durante un vuelo en la campaña (derecha) pidió el apoyo de los demócratas para lo que él llamó su "nueva política de esperanza".

1

"La verdad es que en realidad traté de conseguir a Bono para este fin de semana", dice el senador de Iowa, Tom Harkin a la multitud que vitorea en el evento anual *Harkin Steak Fry* que se lleva a cabo en el *Warren County Fairgrounds* en Indianola, Iowa. "Me conformé con la segunda mejor estrella de rock en Estados Unidos."

Con eso, la atracción principal, un hombre atractivo de ojos cafés, sube al escenario en medio de aplausos abrumadores. Pero los entusiastas admiradores no se están poniendo histéricos sólo porque Barack Obama ha ganado más Premios Grammy (dos) que Jimi Hendrix y Bob Marley juntos (cero). Está recibiendo el trato que se le habría dado a Elvis, porque simplemente, como dice una admiradora, la joven republicana Verónica Czastkiewicz, que manejó tres horas para verlo: "La actitud de Barack es increíble. Él es el único demócrata por quien yo votaría".

Desde que impresionó al mundo en la convención demócrata del 2004, y ganó la elección al Senado de Estados Unidos gracias a una victoria arrolladora ese mismo año, sus admiradores no pudieron resistir compararlo con las supernovas del rock. "Originalmente habíamos pensado invitar a los Rolling Stones para esta fiesta", decía el gobernador de New Hampshire, John Lynch, a una multitud de admiradores de Barack en un evento político llevado a cabo en Manchester para celebrar las victorias de los demócra-

"No existe un Estados Unidos liberal
y un Estados Unidos conservador.
Solamente existen los Estados Unidos
de Norteamérica".

Barack Obama

En su estelar discurso para la nominación de John Kerry (que
está con su esposa Teresa y John Edwards, arriba derecha) en la
Convención Demócrata, Obama (con Michelle, derecha)
utilizó por primera vez la frase que lleva el título de su best-
seller *La audacia de la esperanza*. "Al final, ese es el mejor regalo
que Dios nos da, el fundamento de esta nación; creer en las
cosas que no puedes ver; creer que vienen días mejores".

tas durante las elecciones de noviembre. "Pero lo cancelamos cuando nos dimos cuenta de que el Senador Obama vendería más boletos".

El evento, vendido en su totalidad y una segunda aparición en Portsmouth, New Hampshire, en donde firmó ejemplares de su bestseller, *La audacia de la esperanza,* el cual fue apoyado por Oprah, atrajo 2 500 personas y tuvo el tipo de atención de los medios que sería más probable encontrar en el lanzamiento de un tour de los Rolling Stones, que en un evento postelectoral de New Hampshire, conocido como el Estado

Las esperanzas que parecen oportunidades remotas no son nada nuevo para Obama (izquierda), fanático de los Medias Blancas de Chicago que participa en un rally en 2005, el año en el que los perdedores perennes ganaron su primera Serie Mundial desde 1917; haciendo campaña con el candidato a Vicepresidente John Edwards y con el senador de Illinois Dick Durbin en 2004 (arriba izquierda); Obama (arriba) en un elevador en el Capitolio después de haber dado su voto en la nominación de Samuel Alito, hijo, para la Suprema Corte de Justicia en 2006.

del Granito. Aproximadamente 150 miembros de la prensa, incluyendo sesenta reporteros y veintidós equipos de camarógrafos, cubrieron la visita de Obama al estado que sería la sede de las elecciones primarias presidenciales del 2008.

En esta escena se repitió lo que había ocurrido en una serie de eventos anteriores por todo el país antes de las elecciones a mediados del periodo presidencial, durante el lanzamiento de la gira de Obama para promocionar su libro, la cual tuvo todas las características de algo muy diferente.

tintivos hechos en casa que decían "Obama para Presidente", afuera del Centro Cívico Marin, mientras 1 200 personas se congregaban para escucharlo hablar y esperaban haciendo largas filas para que les firmara su ejemplar de *La audacia de la esperanza.* Al día siguiente estaba en Seattle, donde la mayor multitud de personas que se congregaron durante la gira, 2 500, asistieron a la firma de ejemplares en la Universidad Comunitaria de Bellevue. Los asistentes alzaban ejemplares de la revista *Time* en cuya portada aparecía el rostro de Obama con la

> **"Nuestra visión de Estados Unidos no es una visión en la que un enorme gobierno controla nuestras vidas; es una visión en la que a cada ciudadano se le da la oportunidad de sacar el mayor provecho de su vida".**
>
> Barack Obama

"Algunas veces una gira para promocionar un libro es más que eso", dijo sutilmente un antiguo ayudante del vicepresidente Al Gore, mientras Obama viajaba por todo el país. En la primera de tres sesiones para autografiar ejemplares de su libro en Chicago, en un mismo día de octubre, una mujer gritó: "¡Obama para presidente!", cuando el senador llegaba a la librería a las 8:30 a.m. En San Rafael, California, un vendedor activo hizo un negocio rápido con la venta de dis-

frase: "Por qué Barack Obama podría ser el próximo Presidente".

"El Senador Obama", decía el antiguo asistente de Gore, "aparentemente está utilizando la gira para promover el libro con el fin de probar los vientos presidenciales".

Y de hecho así fue. Sólo tres meses después, en la mañana que siguió al día que hubiera sido el cumpleaños número setenta y ocho de Martín Luther King Jr., Obama presentó sus documentos ante la Comisión Federal Electoral, el primer paso en su lucha por llegar a ser el primer presidente de raza negra en la historia de Estados Unidos.

"Las decisiones que se han tomado en Washington en los últimos seis años y los problemas que se han ignorado, han puesto a nuestro país en una situación precaria," diría en un mensaje videograbado para sus

Conocido ampliamente en su estado natal como un legislador eficaz e innovador durante los siete años que fue Senador en el estado de Illinois, Obama (recuadro) habla en la conferencia de la Industria de la Construcción de 2005 en Washington; y ante el Consejo de Relaciones Exteriores de Chicago en noviembre de 2006.

Obama habla ante el Consejo de Relaciones Exteriores de Chicago en noviembre de 2005, pidiendo la reducción de tropas en Irak y criticando a la administración de Bush por cuestionar el patriotismo de aquellos que hablan contra la guerra.

simpatizantes el 16 de enero del 2007, explicando por qué estaba entrando en la carrera por la presidencia. Mencionando el nerviosismo que sentían los votantes con respecto a temas que iban desde su trabajo hasta el *jihad* y una "guerra trágica y costosa

que nunca debió pelearse", Obama pidió un nuevo tipo de política para reemplazar la forma en que se trabaja en Washington, donde las cosas son tan "implacables y partidistas, y están tan enviciadas por el dinero y las influencias", que dijo, "no podemos afrontar los grandes problemas que exigen soluciones".

En New Hampshire, dos meses antes de presentar sus documentos ante la Comisión Federal Electoral, los admiradores de Obama ya parecían estar emocionados ante la posibilidad de que entrara a la carrera por la presidencia. Con apariencia pulcra y actitud calmada, vistiendo una camisa blanca de cuello abierto y un saco negro, Obama fue recibido con una descarga cerrada de flashes de cámaras, y con una ovación de pie. Con su tranquila voz de barítono, abogó por un amplio cuidado a la salud, independen-

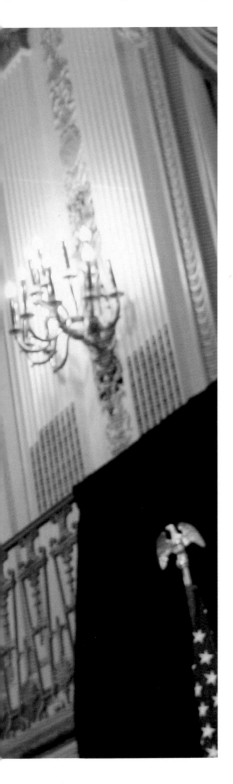

> **"Simplemente no es mi estilo esforzarme por ofender a la gente o ser controversial, sólo por el hecho de serlo. Eso es ofensivo y contraproducente. Hace que las personas se sientan a la defensiva y se resistan más a los cambios".**
>
> Barack Obama

cia energética, una política eficaz para impedir el calentamiento global y la eliminación de discursos públicos ruidosos e incivilizados. "Nos ha consumido una política de 24 horas, agresiva e hiriente, de anuncios negativos, de discusiones y mentes mezquinas, la cual no nos lleva a ningún lado", dijo en Portsmouth, dirigiendo su crítica tanto al partido republicano como al suyo, que se agredían a través de un enorme abismo partidista cada vez más profundo. "A veces un partido está arriba y el otro abajo. Pero de ninguna manera se están uniendo en una forma más práctica, basada en el sentido común, y libre de ideologías, para resolver los problemas que estamos enfrentando".

Enojado por la respuesta de la administración de Bush ante el huracán Katrina, Obama (en un proyecto de Habitat para la Humanidad en Nueva Orleáns en julio de 2006, derecha) dijo que el gobierno "estaba tan alejado de las realidades de los barrios pobres de Nueva Orleáns... que no podía concebir la idea de que los [residentes] no pudieran cargar sus camionetas... ir a un hotel y pagar con una tarjeta de crédito". Abajo Obama escucha durante un rally de campaña del candidato a gobernador de Ohio, Ted Strickland, en octubre de 2006.

El llamado a vencer a la gran división partidista y cultural estadunidense, es el tema central tanto de su libro *La audacia de la esperanza* como de su campaña. Siguiendo la línea del mensaje de su libro, que ya estaba listo para usarse en su campaña, declaró que en tiempos difíciles, cuando la desesperación y la ira podrían parecer la única alternativa, "lo que es difícil, riesgo-

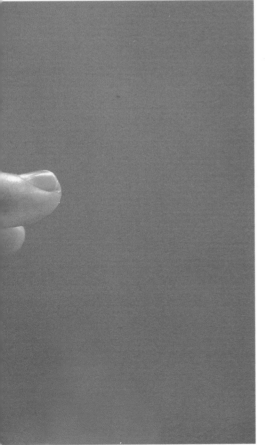

"Lo que es difícil, riesgoso y verdaderamente audaz, es tener esperanza".

Barack Obama

so y verdaderamente audaz, es tener esperanza".

Los primeros y elocuentes discursos de Obama contra la guerra en Irak en 2002 (en los que dijo que la inminente invasión era una operación enfermiza que "requeriría una ocupación de duración indeterminada por parte de Estados Unidos, a un costo indeterminado, con consecuencias indeterminadas") hicieron que el entonces poco conocido legislador de Illinois se elevara a un nivel nacional prominente y allanó el camino para su marcha hacia el Senado. En Porsmouth, repitió ante el público su llamado para la reubicación de las tropas estadunidenses en Irak. "No podemos simplemente desperdiciar nuestro recurso más valioso;

nuestros hombres y mujeres jóvenes". Estas palabras provocaron que un republicano, cuyo hijo había regresado recientemente de su segundo periodo de servicio, le dijera a un reportero: "Si lanza su candidatura (no tuvo que decir para que), yo lo apoyo".

"Él tiene el verdadero espíritu que estábamos buscando", dijo un miembro de la audiencia a quien Obama no le hizo recor-

dar a una estrella del rock, sino más bien a una de las figuras políticas más reverenciadas de la generación anterior: "Nadie me había causado tanta emoción desde que JFK estaba en campaña cuando yo tenía diez años".

"Nunca había visto nada similar", dijo también un antiguo legislador de New Hampshire el cual, mientras observaba cómo

Obama electrizaba a la audiencia de partidarios demócratas, que normalmente actuaban con bastante control, pensó en el Kennedy con el que se compara más frecuentemente a Obama. "Muchas personas han comparado esto con los días en que Bobby Kennedy competía para ser presidente. No creo que hayamos visto nada similar desde entonces".

"No tengo ningún interés de ser anti-Hillary", dijo Obama, cuya primera oposición a lo que él llama "el fiasco de Irak", le ganó el apoyo de muchos demócratas que estaban enojados con el apoyo que le daba a la guerra su rival de campaña. Aún así, él dijo de Hillary Clinton (con Obama en julio de 2006), "Yo creo que sería una presidenta muy capaz".

Pero ante todo se compara a Obama con el menor de los Kennedy. Al igual que Obama, Bobby era ingenioso, elocuente, gallardo y políticamente progresivo; un senador joven de cuarenta y tantos años, que venía de un gran estado industrial del norte, cuando lanzó su candidatura como presidente en 1968. Bobby ocupó el mismo escritorio que le fue asignado a Obama la primera vez que ingresó al Senado, y prestó juramento el 4 de enero de 1965, cuarenta años antes que su descendiente político. Bobby también lanzó su candidatura mientras el país perdía la esperanza ante el creciente número de bajas en una guerra mal planeada y mal definida, a la que no parecía vérsele un final. Entonces, la nación anhelaba el regreso del Camelot de Kennedy, el breve florecer, muy ilusorio y lleno de optimismo que precedió a la amarga división y a las guerras culturales que aún siguen con nosotros.

No obstante, el camino a la gloria política está lleno de tantas estrellas políticas, supuestamente parecidas a Kennedy (Dan Quayle, Jack Kemp. ¡Llamando a John Edwards!) como los grupos de los Fabulosos Cuatro o Cinco, cuya ruta segura hacia el estrellato terminó en el momento en que fueron escogidos como los próximos Beatles. Quizás al comprender los riesgos implícitos en esto, Obama es inteligente al no compararse con Kennedy. Aunque con frecuencia diga que Bobby Kennedy es uno de sus héroes políticos, junto con otros mártires estadunidenses como John F. Kennedy, Abraham Lincoln y Martin Luther King Jr.

En una triste ironía, el cuadragésimo aniversario de las muertes de Martin Luther King y de Robert F. Kennedy, víctimas de las balas asesinas, sería la cúspide de la campa-

El ser comparado con Jack o Bobby es embriagador para cualquier político, pero especialmente para un senador novato con ambiciones presidenciales. La juventud de Obama, su energía e idealismo, sin mencionar su apariencia atlética, han inspirado recuerdos de ambos hermanos y también comparaciones.

Jack Kennedy, el primer presidente nacido en el siglo XX, era joven, carismático y, sí, incluso sexy, como lo es Obama.

En Manchester, Obama hizo eco al llamado del presidente Kennedy por una nueva frontera: "Estados Unidos está listo para dar vuelta a la hoja", dijo. "Estados Unidos está listo para una nueva serie de desafíos. Este es nuestro momento. Una nueva generación está lista para el liderazgo".

ña electoral presidencial del 2008. Y se dice que la esposa de Obama, Michelle, comentó sus temores por la seguridad de su esposo cuando ella en un principio se oponía a que lanzara su candidatura. Esos temores se confirmaron cuando se asignó a Obama un servicio de protección a cargo del servicio secreto, mucho antes que a otros candidatos.

"Yo tenía solo siete años cuando murió Bobby Kennedy", dijo Obama en un discurso durante la ceremonia de entrega de premios de Derechos Humanos, Robert F. Kennedy, en Washington en 2005, fecha en que Kennedy habría cumplido ochenta años. "Solamente lo conocí como un ícono".

Y aún así, cada vez que Obama invoca a Kennedy en sus discursos, parecía que estaba leyendo un pasaje de su propio libro. "En una nación destrozada por la guerra y dividida contra sí misma", dijo durante un tributo a Robert F. Kennedy, "él fue capaz de vernos a los ojos y decirnos que sin importar... lo persistente que fuera la pobreza o el racismo, sin importar cuánto se alejara Estados Unidos moviéndose a la deriva, la esperanza regresaría".

Como Kennedy, Obama había sido una figura celebrada y un faro de esperanza para su partido antes de que pisara por vez primera la cámara del Senado y tomara asiento ante el escritorio de su predecesor, para convertirse en el tercer senador de la cámara alta de raza negra desde la reconstrucción, y el único miembro afroamericano del senado en la actualidad.

La victoria en su elección de noviembre de 2004 encendió la casi histeria conocida como la Obamamanía que sus partidarios esperan lo lleve hasta la Casa Blanca. Cuando él y su esposa fueron a ver la película *Ray* en un cine cerca de su casa en Hyde Park, en el sector sur de Chicago, poco después de las elecciones, los miembros de la audiencia le aplaudieron y vitorearon mientras se sentaba. Asediado por los medios y por los transeúntes en las calles de Chicago y Washington, en donde sus admiradores de todas las edades y etnias gritaban su nombre, le aplaudían, le daban palmaditas en la espalda y le pedían su autógrafo mientras posaban para tomarse una foto con el, Obama se vio en el centro de un tipo de adulación que por lo general se reserva para los héroes deportivos o las estrellas cinematográficas y, por supuesto, para las estrellas de rock.

"A donde él va, la gente quiere que se postule para presidente, especialmente en Iowa, cuna de los contendientes presidenciales. Aquí, incluso le están poniendo su nombre a los bebés".

Terry Moran, del show de ABC *Nightline* durante el perfil que hizo de Obama

---

Los entusiastas reportajes de la prensa llevaron a un escritor bromista del *Chicago Reader* a decir: "Ningún político de Chicago ha escuchado este tipo de adulación desde que un concejal comparó a Richard J. Daley con Jesucristo".

Presentaciones en innumerables programas de televisión y portadas de revistas, difundieron su imagen a través del país y su lugar en el firmamento pop se confirmó cuando en un episodio del programa de televisión *Will & Grace* aparece Grace teniendo un sueño en donde se está bañando con un hombre que ella dice le está "¡Barackeando su mundo!"

"Estoy tan sobreexpuesto que hago que Paris Hilton parezca una reclusa", dijo el senador electo durante una cena en el Club Gridiron en diciembre de 2004, un mes antes de que asumiera el cargo. "Creo que ya la única opción que me queda es bajar, así es que esta noche estoy anunciando mi retiro del Senado de Estados Unidos".

Con las emotivas palabras de Obama durante su discurso en la convención del verano anterior aún vibrando en sus oídos y con las boletas electorales de su victoria arrolladora aún frescas en su mente (obtuvo más del 70 por ciento de los votos en un estado donde el electorado de raza negra sólo es el 15 por ciento), los demócratas empezaron a fantasear acerca de hacerlo participar en las elecciones de 2008, si no para presidente, al menos para vicepresidente. Mientras que la revista *Newsweek* calificó esos comentarios como "casi prematuramente cómicos para un senador entrante", la revista también señaló que Obama, que en ese en-

"Él es la estrella. Tiene mucha demanda. Tiene mucha más demanda que cualquier otra persona que podamos ofrecer".

Senador Charles Schumer

Obama es "el líder con más impulso que haya salido de cualquiera de los partidos en la última década", dijo Ben Affleck. Entre otras celebridades que son Obamamaniacos están Tom Cruise y Katie Holmes (con Michelle Obama, izquierda), George Clooney (arriba) y Bono (derecha); los Obama asistieron a los Premios de Imagen NAACP en 2005 (arriba derecha).

tonces tenía cuarenta y tres años de edad, tenía "la misma edad que John F. Kennedy cuando éste fue electo presidente". Unos cuantos años antes, la idea de que Obama sería "el hombre... que más y más personas decían que podría ser el primer presidente de raza negra de Estados Unidos", entre ellas el conductor del programa *Larry King Live*

"Extraño a Michelle y a las niñas terriblemente". Obama (con su familia en marzo de 2004) habló de la vida que lleva durante la campaña. "Soy afortunado de que Michelle sea tan buena con las niñas y tan bien organizada, de esta manera ha podido hacerse cargo de las cosas en casa".

"Sería mi hombre favorito... espero que se postule para presidente".

Oprah Winfrey

quien así lo presentó el pasado mes de octubre, no habría parecido cómica; simplemente no habría cruzado por la mente de nadie, y mucho menos por la de Obama. "¡La misma Oprah quiere que se lance!", declaró King prácticamente mostrando su aprobación.

En *La audacia de la esperanza*, Obama recuerda que cuando asistió a su primera Convención Demócrata en Los Ángeles en el año 2000, se encontraba en el nadir de su carrera política. Tres años después de haber

sido electo para el senado del estado de Illinois, hizo lo que él ahora considera como un intento precipitado de lanzarse para el Congreso en 1999. Los críticos lo llamaron un desastre.

Al lanzarse contra Bobby Rush, un antiguo miembro del Partido de las Panteras Negras y congresista durante cuatro periodos, quien disfrutaba de una enorme popularidad en su distrito, que era principalmente de raza negra, en el sur de Chicago, Obama soportó comentarios maliciosos diciendo que el tono claro de su piel, su título de abogado y su linaje bi-racial (no es descendiente de esclavos, su padre fue un funcionario del gobierno de Kenya y su madre era una mujer blanca, anglosajona y protestante nacida en Kansas) significaba que era elitista y que no era lo "suficientemente negro" para identificarse con la vida y las necesidades de los electores. Rush lo arrolló con un margen de dos a uno en las elecciones primarias y Obama regresó a ejercer la abogacía en una pequeña empresa especializada en derechos civiles en Chicago. En su libro, *La audacia de la esperanza*, escribe que había "dejado desatendida a la empresa durante la campaña, una negligencia que prácticamente lo dejó en bancarrota".

En su libro describe lo quebrado que estaba. Después de su derrota, sus amigos lo convencieron para asistir a la Convención Demócrata en Los Ángeles, "aunque ellos no lo dijeron en ese momento", escribe Obama, "sospecho que pensaron que el viaje a la convención sería una buena terapia para mí, con la teoría de que lo mejor que puedes hacer después de haber caído del caballo, es volverlo a montar inmediatamente". Cuando aterrizó en Los Ángeles, su tarjeta American Express fue rechazada en el mostrador de Hertz. "Después de pasar media hora al teléfono, un supervisor de buen corazón en American Express, autorizó la renta del auto", escribe. "Pero el episodio sirvió como un presagio de las cosas por venir". Sin tener credenciales como delegado y no habiendo pases disponibles, acabó viendo los procedimientos en los televisores colocados dentro del Centro Staples. Él dejó la convención sin haber presenciado el triunfo de Al Gore como el portador del estandarte demócrata. Y se fue con muy pocas esperanzas sobre el futuro de su carrera política.

El recuerdo de esa experiencia y el del fiasco electoral que la precedió, lo dejaron con una "sensación indeleble de lo fugaz que es la fama". Escribe que fue como "el tipo de paliza que te despierta al hecho de que la vida no tiene la obligación de resultar como lo habías planeado".

Eso también le ayudó a ver la insensatez de creer en lo que él llama "la hipérbole" prodigada sobre él después de su vehemente discurso en esa otra convención más afortunada cuatro años más tarde, después de su victoria en la elección de 2004. "Era mi primer día en el edificio [de las oficinas del Senado]", escribe al describir una conferencia de prensa que se llevó a cabo el día antes de que prestara juramento en 2005. "Yo no había dado ningún voto, no había introducido ningún proyecto de ley, de hecho, ni siquiera me había sentado en mi escritorio, cuando un reportero muy serio, levantó la mano y preguntó: 'Senador Obama ¿cuál es su lugar en la historia?'".

"Inclusive algunos de los otros reporteros se tuvieron que reír".

Nadie se estaba riendo dos años después mientras respondía al apoyo de sus partidarios cuando lo alentaban a que lanzara su candidatura y tomara su lugar en la historia. Hubo, sin embargo, muchos que se mofaron de la juventud de Obama, de su inexperiencia y sí, de su color, para triunfar en el 2008.

Algunos partidarios, como el Presidente del Senado de Illinois, Emil Jones Jr., los refutaron apelando al atractivo de Obama

"Postúlate, Barack, postúlate. Barack Obama debería postularse para presidente. Primero debería postularse por el bien de su partido. Sería desmoralizante para los demócratas pasar por una larga temporada de elecciones primarias con la figura más emocionante del partido irguiéndose a la distancia como un sueño inalcanzable".

David Brooks, *The New York Times*

Obama es miembro de la Iglesia de la Trinidad Unida de Cristo en Chicago y tiene una Biblia en su auto. Obama (en un momento de oración en su iglesia en 2004) nunca ha sido musulmán, como habían rumorado algunos conductores de radio de la derecha. Los comentarios que hizo un pastor de la Iglesia, causarían una crisis al final de la temporada de las elecciones primarias.

Aunque ha presentado muchas propuestas de ley junto con los republicanos como miembro del partido minoritario, tanto en el Senado de Illinois como en el de los Estados Unidos, Obama (en su oficina en el Capitolio, en 2006, arriba y con Karl Rove, derecha) desprecia las tácticas de Rove. A la izquierda, Obama habla en una reunión en interna de la alcaldía en el verano, en Washington en 2006.

que estaba muy por encima del color de su piel. Describió encuentros como el que tuvo durante la campaña de 2004 como candidato para el Senado de Estados Unidos, con una mujer blanca de ochenta y seis años que dijo: "¡Espero poder vivir lo suficiente porque este joven va a ser presidente y yo quiero tener la oportunidad de votar por él!". En contraste, la columnista Laura Washington del periódico *Chicago Sun-Times* citó a su tío Leland "Sugar" Cain, quien decía ser admirador de Obama pero pensaba que los blancos no lo elegirían como presidente. "Cuando llegue el momento de ir a las urnas a votar", Cain le dijo a su sobrina, "no van a marcar ese recuadro".

El escritor John Heilemann de la revista *New York* estaba de acuerdo, pero alegó que

"Dick Cheney y Donald Rumsfeld tienen muchísima experiencia".

Dijo Obama a aquellos que cuestionan su capacidad para un puesto más alto

"En esta nueva economía, enseñar a nuestros hijos sólo lo suficiente para que puedan ir más allá de Dick y Jane, no bastará".

Barack Obama

la raza no era el problema principal. "Los obamamaniacos deben estar fumando algo", dijo. "A pesar de todas sus promesas, Obama es prácticamente un barco vacío, con puntos vulnerables que su meteórico y cegador ascenso han ocultado".

Como un crítico de rock que revienta la burbuja de la canción más grandiosa y popular de una estrella de rock, Heilemann menospreció las frecuentes comparaciones entre Obama y Bobby Kennedy, diciendo

"Tengo sospechas del bombardeo publicitario".

Barack Obama

que las diferencias entre ellos "eran muchas, empezando por la magnitud y profundidad de sus currículas... la de Obama... palidece en comparación".

"La emoción que ha generado no se basa en los asuntos que hay que resolver: se basa en estilo", escribió Heilemann, quien se preguntaba "qué tanto aguantaría este tipo de popularidad cuando los votantes supieran más sobre él... como el hecho de que es un fumador".

Heilemann se refería a cigarrillos (Obama estaba tratando de dejar de fumar y ya sólo fumaba 3 cigarrillos al día), pero cuan-

do Jay Leno le preguntó en diciembre del 2006 si fumaba, no se refería a los Marlboro, sino a la marihuana. Obama había admitido que la había fumado, en *Sueños de mi padre*, una autobiografía completamente honesta y sincera, escrita años antes de que siquiera considerara una carrera política. Casi nadie la notó cuando fue publicada por primera vez en 1995, pero después pasó un año en la lista de best-sellers del periódico *New York Times* cuando fue reeditada al principio de su éxito político en 2004. Además, con ella ganó Obama un Grammy por el mejor álbum hablado en 2006. (Ganó su segundo Grammy en 2008 por su grabación de *La audacia de la esperanza*). En el prefacio de la nueva edición, escribe: "No contaré la historia muy diferente ahora a como la conté hace diez años, aún cuando ciertos pasajes han probado ser un inconveniente político".

"No recientemente; eso fue en la preparatoria", respondió Obama a la pregunta de Leno.

"¿Inhalaste?", le preguntó Leno, haciendo alusión al famoso truco de Bill Clinton.

"Ese era el punto", le dijo Obama.

Un grupo de expertos y analistas políticos a quienes se citó el 3 de enero de 2007 en un artículo del diario *Washington Post*, decían que creían que la franqueza de Obama, capaz de desarmar todo ataque, hacia del tema un asunto muerto. "Los estadunidenses tienen un apetito de redención", dijo un especialista republicano. "¿Quién va a lanzar la primera piedra?", preguntó un contraparte demócrata.

Obama no eliminó de su libro los pasajes sobre el consumo de drogas (incluso dice haber probado la cocaína porque, tal vez, como dijo durante su campaña para el Senado, sintió que era importante que "la gente joven que se encuentra en peores circunstancias que las mías, pueda saber que puede cometer un error y aún así recuperarse".

"En esta etapa de mi vida", dijo, "mi vida es un libro abierto, figurativa y literalmente. Los votantes pueden emitir un juicio sobre si las estupideces que cometí cundo era

Aunque Obama (en su oficina del Senado, arriba) depende de su personal para que se encargue de su horario y otras necesidades de la campaña, su asesor más cercano es él mismo. "En lo relacionado con lo que es importante para el país", dice, "pienso que mis instintos son buenos. Confío en ellos". A la derecha, Obama se prepara para una aparición en el programa de televisión de su amiga Oprah Winfrey en 2006.

adolescente, son relevantes al trabajo que he hecho desde entonces".

Una interrogante ineludible a la que se enfrenta Obama, y cuyos efectos sobre los votantes son imposibles de medir, es su nombre. En *La audacia de la esperanza*, describe una reunión que tuvo con un especialista en medios, para hablar sobre su fu-

---

"Está listo. ¿Por qué esperar? Obama '08".

Calcomanía vista por todos lados en Washington, D.C.

---

turo político. "Sucedió que el almuerzo estaba programado para finales de septiembre de 2001".

"Estás consciente de que la dinámica política ha cambiado, ¿verdad?", le dijo el especialista. "Ambos miramos el periódico que estaba junto a él", escribe Obama. "Ahí, en primera plana estaba Osama bin Laden".

"Que calamidad ¿verdad?... por supuesto no te puedes cambiar el nombre. Los votantes sospechan de este tipo de cosas. Tal vez si te encontraras al principio de tu carrera, podrías usar un apodo o algo. Pero ahora...".

Para todo político, el que su nombre sea reconocido es una gran ventaja, pero para Obama parecía una maldición. Estuvo desesperado durante cierto tiempo imaginando que este sería el final de su carrera política. "Me empecé a sentir", escribe, "como me imagino que debe sentirse un actor o un atleta cuando, después de años de estar comprometido con un sueño en particular, después de años de trabajar como mesero entre audiciones o de anotar carreras en las ligas menores, se da cuenta de que ha llegado tan lejos como su talento o fortuna pueden llevarlo".

"Después de considerar seriamente abandonar la política y optar por una existencia más calmada, más estable y mejor pagada", escribe, "llegué a un punto en que pude aceptar mis límites y en cierta forma mi mortalidad... Creo que fue esta aceptación la que me permitió imaginarme la idea de lanzarme como candidato a Senador de Estados Unidos".

Sus simpatizantes pueden señalar como un testimonio a su carácter, que él veía su nombre, heredado de su padre, Barack Hussein Obama (triplemente tóxico, como llegaría a serlo con la llegada tanto de Saddam como de Borat [personaje ficticio de la cinematografía que critica los valores políticos de Estados Unidos]), sólo como otro obstáculo a superar en la persecución de su propio "sueño particular". Aunque Obama muy raras veces utiliza su segundo nombre, aparentemente ha instruido a su equipo para que sean francos al respecto. Cuando un reportero llamó a su oficina en Washington el año pasado y de manera cautelosa preguntó la ortografía correcta del segundo nombre del Senador, un miembro del equipo le dijo simplemente: "Tal y como el del dictador".

A pesar de la destreza con que se las ha arreglado para desactivar las asociaciones discordantes de su nombre, éstas constantemente lo han asolado; Barack significa "bendito" en Swahili, como le dice a su público; e invariablemente recibe carcajadas cuando dice que la gente siempre confunde Obama con "Alabama" o "Yo Mama [un personaje cómico]". Jan Schakowsky, una mujer miembro de la delegación del Congreso de Illinois, cuenta que cuando el presidente Bush miró el distintivo de Obama que ella llevaba durante una visita a la Casa Blanca en 2004, "Dio, casi literalmente, un salto hacia atrás. Y supe lo que estaba pensando. Así que lo tranquilice diciéndole que era Obama con 'b'".

Schakowsky explicó que Obama era de Chicago y que se estaba postulando para el Senado de Estados Unidos.

"Bueno, pues no lo conozco", dijo Bush.

"Pero lo conocerá Señor Presidente", le contestó ella.

Obama al lado de George W. Bush después de que el presidente firmara la ley de Transparencia y Responsabilidad del Fondo Federal en 2006, una ley apoyada por Obama y por el Senador Tom Coburn, un republicano de Oklahoma.

"Seamos realistas", dijo Obama al comenzar el discurso que electrizó a la Convención Demócrata de 2004 y que todavía provoca lágrimas en quienes creen en él, inclusive si lo leen; "mi presencia en este escenario es un poco inverosímil. Mi padre fue un estudiante extranjero, que nació y creció en un pequeño pueblo en Kenya. Creció cuidando cabras, fue a la escuela en una choza de lámina. Su padre, mi abuelo, fue cocinero, sirviente doméstico... Trabajando diligentemente y con perseverancia, mi padre consiguió una beca para estudiar en un lugar mágico, Estados Unidos, que representaba un faro de libertad y oportunidad para muchos que habían venido antes. Mientras estudiaba aquí, mi padre conoció a mi madre. Ella nació en un pueblo al otro lado del mundo, en Kansas... Mis padres no sólo compartieron un amor improbable; también compartieron una fe enorme en las posibilidades de esta nación. Ellos me dieron un nombre Africano, Barack, o "bendito", creyendo que en Estados Unidos un país de tolerancia, tu nombre no impediría tu éxito... Estoy aquí, sabiendo que mi historia es parte de la gran historia americana, que tengo una deuda con todos los que llegaron antes que yo, y que mi historia no sería posible en ningún otro país del mundo".

Ahora está en un escenario mucho más grande. Y la historia de Obama, que es la historia de "un niño alto, delgaducho, con grandes orejas", que llegó de un lugar desconocido en el área continental de Estados Unidos, que creció en Hawai y siempre fue un forastero; un chico negro cuyo padre lo abandonó cuando tenía dos años de edad y que, por largos periodos, su madre también estuvo lejos. Sus padres la habían educado en un vecindario de blancos. Obama se enfrentó a las miradas recelosas de quienes pertenecían a razas y culturas más definidas, luchó a brazo partido para encontrar una identidad y un propósito en la vida, se ha levantado para convertirse en el candidato a la presidencia de Estados Unidos y su voz clama pidiendo la unión sin divisiones entre liberales y conservadores, entre estados demócratas, republicanos, de raza blanca o negra, surge de sus propias luchas por encontrar un camino para unir su propio corazón dividido; todo esto hace que su éxito parezca más que improbable.

EL JOVEN BARRY

"¡Ven a nosotros Obama!", cantaba la multitud ondeando banderas de Estados Unidos en Kisumu (derecha) en 2006, cuando Obama también fue recibido por los habitantes de Kogelo, el pueblo de su difunto padre (arriba, derecha) y durante su visita a su abuela, Sarah Hussein Onyango Obama (arriba).

2

La primera vez que Barack Obama visitó Kenya en 1987, siendo un joven de veintiséis años proveniente de Chicago donde realizaba trabajo comunitario, y que se estaba preparando para entrar en la Escuela de Leyes de Harvard, aterrizó en el aeropuerto sólo para enterarse de que su equipaje se había perdido durante el viaje, y literalmente llegó a Nairobi con gran estruendo en un viejo Volkswagen Beetle que pertenecía a su tía, que tenía el motor ruidoso y no tenía mofle.

Más tarde, en el trayecto hacia Kogelo, el pueblo de sus ancestros, al occidente de Kenya, la tierra inmortalizada en el libro de Hemingway *Las verdes colinas de África*, viajó en tren durante toda la noche para llegar al pueblo de Kisumu, y después viajó durante horas en un atiborrado "matatu", vehículo de transporte colectivo, que tenía las llantas lisas y pocos asientos. En su regazo, a lo largo del camino lleno de baches, iba su media hermana Auma, un bebé chillón que un extraño le había pedido que sostuviera y una canasta llena de camotes. Esto no era exactamente lo se había imaginado que sería su visita a la tierra de su padre: como "bienvenida... las nubes se elevarían, los viejos demonios huirían y la tierra temblaría mientras sus ancestros cobraban vida en una celebración".

Diecinueve años después, esa visión de fantasía pareció hacerse realidad ante sus ojos. Cuando Obama, su esposa, Michelle, y sus dos hijas, Malia y Sasha, aterrizaron en

"Cuando mis lágrimas finalmente se acabaron, sentí que una calma me invadía. Sentí que el círculo finalmente se cerraba", escribió Obama, que aparece aquí con Sarah en Kogelo (abajo) y regando un árbol africano de aceitunas en Nairobi con sus dos hijas y con la ganadora del premio Nobel de la Paz, Wangari Maathai, de vestido amarillo, en su visita a la tumba de su padre en 1987.

"Hay un núcleo de decencia en el pueblo estadunidense que no recibe suficiente atención".

Barack Obama

el Aeropuerto Internacional Kenyatta en Nairobi en el verano de 2006, el embajador de Estados Unidos en Kenya fue a recibirlos y la familia fue llevada rápidamente a través de una multitud de reporteros que los estaban esperando y transportada a la ciudad en un contingente de doce autos.

Las multitudes extáticas de Kenia, luciendo camisetas en las que estaba impreso el nombre de Obama, cantaban: "¡Ven a nosotros Obama!", mientras visitaba un monumento que se construyó en el sitio donde la embajada de Estados Unidos había sido bombardeada en Nairobi.

En lugar de viajar en tren toda la noche, Obama y su familia volaron a Kisumu, donde miles de personas se pararon a lo largo del camino hacia Kogelo, muchos de ellos trepándose a los árboles para tener una mejor vista del contingente que llevaba al americano, al que la tribu local, los Luo, reclamaba a gritos como uno de los suyos. "Él es nuestro hermano", dijo uno. "Es nuestro hijo".

En Kogelo, el pequeño pueblo en donde su padre y abuelo fueron enterrados uno al lado del otro y donde todavía vive la Luo octogenaria a la que él llamaba "Abuelita", la multitud gritaba su nombre, un cantante de la tribu cantaba sus alabanzas y los niños entonaban canciones que habían compuesto en su honor. Una persona del pueblo le ofreció un regalo, "como símbolo de nuestro aprecio", era una cabra de tres años que traían amarrada con una cuerda raída. "Está muy gorda", dijo, "y muy dulce". Obama se rehusó educadamente a aceptarla y compartió una comida de pollo, potaje y col, con su esposa e hijas, con Auma, que actuó como interprete de su abuela, que solamente ha-

blaba el lenguaje de los Luo, y con otros parientes.

"Aun cuando crecí al otro lado del mundo", Obama les dijo a los pueblerinos sobre su visita diecinueve años antes, "sentí entre la gente el espíritu que me decía que yo era uno de ellos".

Sin embargo, había iniciado ese viaje con recelo. Él era, escribió en *Sueños de mi padre* (la memoria literaria donde cuenta su despertar a la vida), "un occidental que no se sentía totalmente cómodo en el Occidente, un africano en ruta hacia una tierra llena de desconocidos".

Sin embargo, una vez ahí, empezó a experimentar el sentido de transformación que muchos amigos en casa le habían descrito, después de haber realizado sus primeras visitas a África. "Durante un lapso de semanas o meses", escribió, "podías experimentar la libertad que te da el no sentirte observado, la libertad de creer que tu cabello crece como se supone debería de crecer y que tu cadera se mueven como se deberían de mover... Aquí, el mundo era negro, así que eras simplemente tú".

Hasta que hizo ese primer viaje a África, un rito que lo ayudó a reconciliar al mundo en que había crecido con el mundo de su padre, a quien en realidad nunca conoció, había sufrido una larga y a veces dolorosa lucha, para entender quién era en realidad.

Su infancia fue, como recordaría más tarde, "la pesadilla de un niño de diez años". Era el año de 1971 y una bondadosa maestra que llevaba el agradable nombre de señorita Hefty, acababa de presentarlo al grupo, en su primer día en la Escuela Punahou de Honolulu. Se escucharon risitas en el salón cuando la maestra dijo el nombre completo de Obama.

"Yo pensé que te llamabas Barry", le dijo un niño que había conocido cuando su abuelo lo acompañó a la escuela esa mañana.

"Barack es un nombre precioso", dijo la srita. Hefty, que había vivido en Kenya y estaba encantada de saber que el padre del chico nuevo era de Kenya. "Es un país magnífico. ¿Sabes a que tribu pertenece tu padre?"

Cuando Obama le dijo en voz baja, "Luo", otro niño empezó a gritar como un chango,

Cuando vivía en un departamento de dos habitaciones en el décimo piso de un edificio, en uno de los vecindarios menos elegantes en Honolulu (izquierda), Obama fue admitido en la prestigiada Escuela Punahou (abajo derecha e izquierda) a la edad de diez años, después de que el jefe de su abuelo, un ex alumno, usara su influencia para ayudarlo a entrar. Obama con su madre, Ann Dunham (esquina inferior izquierda) en una foto sin fecha de los años sesenta.

"Descubrí que nunca he aprendido nada al negarme a escuchar a otras personas o al negarme a sostener conversaciones con ellas, y eso seguramente no puede ser el fundamento de una política saludable en nuestra sociedad".

Barack Obama

La madre de Obama, Ann Dunham (con su padrastro Indonesio, Lolo Soetoro y su media hermana Maya Soetoro), insistió en que complementara sus estudios tomando cursos estadunidenses por correspondencia durante los cuatro años que vivió en Indonesia. Ann lo despertaba a las 4:00 a.m. todas las mañanas para darle clases durante tres horas antes de que se fuera al colegio y de que ella se fuera a su trabajo en la Embajada de Estados Unidos. Después de que Barack Hussein Obama, padre (abajo) pasara las vacaciones de Navidad con su hijo de 10 años en Hawai, en donde Obama vivía con sus abuelos blancos, padre e hijo nunca se volvieron a ver.

"Tengo parientes que se parecen a Bernie Mac y parientes que se parecen a Margaret Thatcher. Así es que lo tenemos todo".

Barack Obama

lo que causó que todo el salón estallara en risas. Antes de que acabara el día, una chica pelirroja le había preguntado si podía tocar su cabello y un niño le había preguntado si su padre era caníbal.

"La novedad de tenerme en la clase muy pronto se desvaneció de la mente de los demás niños", escribiría más tarde Obama. Sus compañeros eran, en su mayoría, niños privilegiados que venían de familias acomodadas y vivían en casas mucho más grandes que el pequeño departamento de dos habitaciones que compartía con los padres de su madre, y no eran demasiado crueles. No lo golpeaban ni se burlaban de él. Simplemente perdieron el interés en el niño negro que jugaba futbol, badminton y ajedrez, juegos que había aprendido de su padrastro Indonesio mientras vivió en Yakarta con su madre durante cuatro años, antes de regresar a Hawai sin ella, pero que no podía lanzar un balón de futbol americano ni usar la patineta.

Conforme pasaban los meses, se las arregló para tener unos cuantos amigos y "lanzar torpemente un balón", pero principalmente estableció una rutina que consistía en ir a casa después de la escuela, leer historietas cómicas, ver televisión y escuchar radio. "Me sentía seguro", escribió; "era como si hubiera entrado en un largo periodo de hibernación".

Varios meses después de haber empezado las clases, recibió un impacto cuando sus abuelos maternos ("Gramps" y "Toot" la abreviatura de *tutu* la palabra Hawaiana para decir abuela) le dijeron que su padre, que llevaba su mismo nombre, y a quien

Un pariente lejano por el lado de la familia de la madre de Obama, el Presidente Confederado Jefferson Davis, (abajo izquierda) sin duda estaría sorprendido al saber que el joven bateador que aparece a la derecha, crecería para convertirse en candidato a la presidencia de la Unión con la que Davis peleó a causa de la esclavitud.

Obama no había visto desde que era un bebé, vendría a visitarlo en Navidad. También vendría Ann, su madre, que volaría desde Yakarta con Maya, su media hermana. "Va a ser una Navidad maravillosa", dijo Gramps.

Años más tarde, Obama escribiría que mientras crecía, "mi padre era como un mito para mí, un mito que era más que un hombre y al mismo tiempo, menos que un hombre". Una figura que sólo conoció a través de las historias que su madre y sus abuelos le contaban, y la mayoría de las historias que compartían con él eran buenas. En ellas, Barack su padre era alto y guapo, ama-

ble e inteligente; tenía un tono de voz bajo, como de barítono y tenía un marcado acento inglés; tenía una voz fuerte al cantar, llena de personalidad y era un excelente bailarín; era poderoso y amable, honesto y franco; rasgos que lo hacían parecer "un poco dominante y "algunas veces intransigente", admitiría su madre. Tenía una mente brillante, todo un miembro de la asociación estudiantil Phi Beta Kappa, era encantador y seguro de sí mismo.

"Es un hecho Bar", le decía su abuelo, "tu papá podía manejar cualquier situación y por eso le agradaba a todo mundo".

En fotografías familiares, Obama veía "la cara morena de su padre con una sonrisa, la frente prominente y sus gruesos lentes que lo hacían parecer mayor de lo que era".

Su madre le dijo que su padre había nacido a las orillas del Lago Victoria, en un pueblo muy pobre, en donde su padre, Hussein

Onyango Obama, era un anciano erudito de la tribu, así como un curandero y hechicero. Le enseñó a su hijo cómo cuidar una manada de cabras y a conocer el valor de una buena educación, pues lo mandó a una escuela local que era dirigida por el administrador colonial británico. Barack padre asistió a la Universidad en Nairobi gracias a una beca y cuando Kenya se estaba prepa-

"Él es una voz de fuerza y de moderación, una historia de éxito estadunidense".

Senador John McCain sobre Obama

rando para su independencia, él fue escogido para ir a Estados Unidos a continuar con su educación, de manera que al regresar, se convirtiera en un líder que ayudaría a construir la nueva nación.

En 1959 el padre de Obama, de veintitrés años de edad, se convirtió en el primer estudiante africano en la Universidad de Hawai. Ahí, en una clase de ruso, Barack padre, al que su hijo describiría diciendo que era "negro como la noche", conoció a una joven de dieciocho años, alegre y de grandes ojos que era, en contraste con él, "blanca como la leche".

Ann Dunham, nacida en Kansas, era hija del gerente de una mueblería que además era vendedor de seguros de vida y llevaba un estilo de vida bohemio; escribía poesía y le gustaba escuchar jazz. Su esposa, más pragmática, era la siempre puntual empleada del banco local, cuya familia en Kansas podía rastrear su linaje hasta un ancestro famoso, Jefferson Davis, presidente de los Estados Confederados de América.

Los Dunham se mudaron a las islas un año después de la llegada del compañero africano de Ann. Los dos empezaron a salir y después de un breve noviazgo, se casaron, un acto que en 1960 era considerado un cri-

men en la mayoría de los estados. "En muchas partes del sur", escribiría Obama, "mi padre pudo haber sido colgado de un árbol tan sólo por ver de manera inapropiada a mi madre".

Sin embargo, Hawai, que recientemente había sido admitido a la Unión, era un territorio joven y relativamente tolerante, y la historia de la familia no incluye ningún relato donde los padres de Obama sufrieran algún tipo de abuso en las calles de Honolulu. En 1962, su padre se graduó en la facultad de economía en sólo tres años, un año después de que naciera su hijo.

La New School de Nueva York le ofreció una generosa beca para seguir estudiando,

Después de que su abuelo lo llevara a ver un partido de basquetbol de la Universidad de Hawai, Obama (el tercero desde la izquierda en la segunda fila, con el equipo estrella de Punahou en 1977), practicaba solo muchas horas al día en el parque que estaba cerca de su departamento.

la cual le habría permitido llevar consigo a su esposa y a su hijo a la ciudad. Pero en lugar de hacerlo, Obama padre aceptó una beca que sólo cubría la colegiatura, para estudiar en Harvard. Creía que un doctorado de esa famosa institución, reforzaría el portafolio que lo llevaría de regreso a Kenya y podría ocupar cualquier posición de liderazgo que le esperara.

Se mudó solo a Boston; él y Ann estuvieron de acuerdo en que ella y el bebé se reunirían con él cuando hubiera completado sus estudios y, juntos, regresarían a Kenya como una familia.

No obstante, el tiempo y la distancia debilitaron la relación y al final, la pareja se di-

vorció. Cualquier memoria que el pequeño tuviera de su padre, también se desvaneció.

Su madre se volvió a casar y en 1967 se mudó junto con su hijo y su nuevo marido, Lolo Soetoro, que también era un graduado de la Universidad de Hawai, a la tierra natal de Lolo en Indonesia, donde Obama vivió durante cuatro años.

Años más tarde, le dijeron a Obama que su padre había regresado solo a Kenya, después de obtener su título de Harvard. Allá llegó a ser economista y una importante figura en el gobierno de la nueva nación. También él se volvió a casar y tuvo cinco hijos. Su madre le dijo que esos hijos, cuatro niños y una niña, eran sus medios hermanos, su familia en África.

Como Obama llegó a saber muchos años más tarde, casi todo lo que supo sobre su padre era un mito.

La visita de su padre a Hawai en 1971, duró un mes y al principio fue dolorosamente incómoda, con largos momentos de silencio y decepciones. Su padre había sufrido recientemente un accidente automovilístico y caminaba cojeando con un bastón; era más delgado de lo que Barack pensaba y parecía frágil; sus ojos tenían un brillo amarillento, un signo inequívoco de que tenía un historial de malaria. Cuando su padre le ordenó que apagara la televisión: "¡Ha estado viendo constantemente ese aparato, así es que ahora es tiempo de que se ponga a estudiar!", le ordenó. Barack corrió a su habitación y azotó la puerta.

Cuando su madre le dijo que la señorita Hefty había invitado a su padre para que hablara en la escuela, Barack entró en pánico. Él les había presumido a sus amigos diciéndoles que su abuelo era el jefe de la tribu, "como el rey", y que su padre era el príncipe; había dado a entender que él sería el sucesor de su padre para gobernar a los Luo, una "tribu... de guerreros"; había dicho también que el nombre familiar, Obama, "significa 'Lanza en Llamas'".

A pesar del miedo que tenía de que sus exageraciones fueran tomadas como mentiras, escuchó encantado, junto con sus compañeros y maestros, cómo su padre hablaba gráfica y elocuentemente sobre Kenya y sobre su gente y su historia. Cuando acabó de hablar y después de recibir muchos aplausos, un maestro le dijo a Barack: "Tienes un padre muy impresionante".

"Tu papá", le dijo un compañero, el niño que le había preguntado el primer día de clases si su padre comía humanos, "es súper".

Después de eso, se encariño con su padre. Fueron juntos a un concierto de Dave Bruveck y su padre le dio un balón de basquetbol para Navidad. Recorrieron la ciudad y su padre lo presentó con sus antiguos amigos de la universidad. Descansaban y leían juntos en la cama de su padre. El día que se fue, le dio a Barack como regalo dos discos con música africana que había traído desde Kenya como regalo.

"Vamos Barry", le dijo su padre mientras escuchaban un disco en el estéreo del abuelo, "vas a aprender del maestro".

Entonces, su padre empezó a balancearse al ritmo de la música, sus brazos "moviéndose como si lanzaran una red invisible", la cabeza hacia atrás, los ojos cerrados, las "caderas moviéndose en pequeños círculos... entonces soltó un grito rápido, de tono agudo y brillante".

Siempre recordaría el sonido de ese grito; intercambió cartas con su padre y soñó con él durante años, pero nunca lo volvió a ver.

Poco después de que su padre regresó a Kenya, Obama dejó el departamento de sus abuelos y se fue a vivir con su madre, que se había separado de su segundo esposo y había regresado a Hawai para estudiar una maestría en antropología.

Él se acercó mucho a su madre y a su media hermana durante los tres años que vivió con ellas. Lo formaron los ideales de su madre, forjados en los años sesenta y motivados por el movimiento de derechos civiles. Ann grabó sus valores profundamente en él. Obama escribe, "tolerancia, igualdad, defender a los desvalidos". Pero cuando él tenía trece años, Ann le insistió para que regresara a Indonesia con ella y con Maya, donde Ann planeaba hacer el trabajo de campo necesario para obtener su título, pero él se negó.

Le dijo a su madre que no se iba con ella porque había llegado a encariñarse con su escuela y no quería ser catalogado nuevamente como el chico nuevo, como el extraño, y tampoco quería tener que demostrar su valía en otro mundo extraño.

Pero como escribió más tarde, la verdadera razón era que se había "embarcado en una lucha interior intermitente" para forjar su propia identidad, para llegar a aceptar el hecho básico de su vida: era "un hombre negro en Estados Unidos", pero un hombre sin modelo o padre a quien seguir.

Vivió de nuevo en su antigua habitación en el departamento de sus abuelos, y adoptó la rutina universal del adolescente que consiste en ir a la escuela, hacer trabajos de medio tiempo y lidiar con "un deseo turbulento", como más tarde lo describiría en sus escritos.

"Lo que hace funcionar a este país es esta creencia fundamental: Soy el guardián de mi hermano, soy el guardián de mi hermana".

Barack Obama

"Fue ahí (en la cancha de basquetbol) donde tendría a mis amigos blancos más cercanos, en un terreno en donde lo negro no podía ser una desventaja", escribió Obama (encestando, izquierda y en la foto de su equipo de la selección en 1979, a la derecha fila superior) en *Sueños de mi padre.*

WE GO PLAY HOOP

Thanks Tut, Gramps, Choom Gang, and Ray for all the good times.

Barry Obama

Años después, cuando Obama era candidato para el Senado de Estados Unidos, le dijo a un reportero que cuando estaba en el séptimo grado, "era tan rebelde que mis maestros no sabían qué hacer conmigo".

Y su media hermana, que ahora está casada y vive en Honolulu, le dijo a la revista *Time* que en la secundaria, Barack "tenía poderes... era carismático", dijo Maya Soetoro-Ng. "Tenía muchos amigos" y una actitud tan exitosa con las mujeres que solía ir al campus de la Universidad de Hawai para "conocer a chicas universitarias".

Durante sus años en la secundaria y en la preparatoria, estudió las cartas de su padre y trató de captar pistas sobre el gran misterio de quién era él y en quién se convertiría. Estudió las cartas de su padre y absorbió lo que pudo del círculo de amigos negros de su abuelo, sus compañeros de poker y los amigos con quienes se reunía a tomar un trago. Pero su padre sólo ofrecía refranes vagos: "Como el agua encuentra su nivel, llegarás así a la carrera que te conviene", escribió su padre en una de sus cartas, y los amigos de su abuelo eran lo suficientemente cordiales, pero tan pronto se repartían las cartas, se cerraban, dejando a Barry, de doce años de edad, sentado en la barra de uno de sus sitios favoritos, ubicado en el distrito rojo de Honolulu, "haciendo burbujas con su bebida y viendo el arte pornográfico que había en las paredes".

Encontró algo de guía en la televisión, en la radio y en el cine, escuchando a Marvin Gaye y aprendiendo pasos de baile en el programa *Soul Train,* observando cómo caminaba y hablaba Shaft y aprendiendo las alegrías del humor, el lenguaje y las malas palabras de Richard Prior. Pero también se dio cuenta de que Bill Cosby nunca se quedó

con la chica en *I spy* y el chico negro de *Misión: Imposible* nunca salía de su guarida subterránea a la luz del día.

Si las cartas de su padre no le ayudaron a encontrar su camino, el regalo que le dio de Navidad, sí lo hizo. El basquetbol, a diferencia del futbol, era un juego en el que no

---

"La raza todavía es una fuerza poderosa en este país, y existen ciertos estereotipos con los que tendré que lidiar. Pero me doy cuenta de que cuando la gente te llega a conocer, te juzga sólo por tus méritos".

Barack Obama

---

era malo y en el que jugaba "con una abrasadora pasión que siempre excedía mi limitado talento". En la preparatoria, fue lo suficientemente talentoso para entrar al equipo de los mejores jugadores de la escuela y jugó partidos en la Universidad de Hawai, donde los jugadores negros le enseñaron algunas reglas para otro juego, de mayor magnitud: "Que el respeto venía de lo que él había hecho y no de lo que era su padre"; toda la habladuría estaba bien, mientras pudieras respaldarla; y un hombre jamás debe de mostrar sus emociones, especialmente las de dolor y miedo, ni permitir que su oponente las vea.

Escribió que años después se daría cuenta de que "estaba viviendo la caricatura de un adolescente negro, que era en sí, una caricatura de la arrogante hombría estadunidense".

Aún así, en la cancha de basquetbol encontró una comunidad de amigos, blancos y negros. Entre ellos Ray, que sería su amigo más cercano, un atleta comprometido, inteligente y simpático, un corredor de calibre

---

En la preparatoria lo llamaban "Barry", el mismo nombre que su padre usó en Estados Unidos, y Obama usó el apodo de su abuela ("Tut" o "Toot", que es la abreviatura de "tutu", abuelo en Hawaiano) al expresar su gratitud a sus familiares y amigos en el anuario de su último año en 1979 (izquierda). Arriba, la luna brilla sobre Diamond Head al atardecer.

Al crear vínculos entre ellos, Obama, Ray y sus otros amigos de raza negra se reían de la manera de ser de "los blancos", enumerando las ofensas e insultos que tenían que soportar de ellos. Por su parte,

Obama en 1979 durante su graduación de preparatoria en Hawai con sus abuelos maternos, Stanley Armour Dunham y su esposa Madelyn Payne, ambos nativos de Kansas (arriba). "Sus constantes actos de autocreación me conmovían", Obama escribió en sus memorias sobre Malcolm X (que aparece hablando en un rally en Harlem en 1963). "La poesía franca de sus palabras, su insistencia en el respeto, prometían un orden nuevo e inflexible".

olímpico cuya barriga ocultaba su destreza. Ray pertenecía al creciente número de jóvenes negros que se habían mudado a Hawai, desde el continente y cuya "confusión y enojo", escribió Obama, "ayudarían a moldear mi propia confusión y enojo".

Obama recordaba a un chico del séptimo grado que lo había llamado "mapache", un tenista profesional que le dijo que no tocara un horario del torneo porque su color lo iba a manchar, y un entrenador de basquetbol que se quejó durante un juego, diciendo que sus oponentes eran un "montón de *niggers* (forma despectiva de llamar a las personas de raza negra)".

Al mismo tiempo, se sentía alejado de la camaradería de sus amigos. "Algunas veces me encontraba platicando con Ray sobre 'los blancos' esto y 'los blancos' aquello", escribió, "y de pronto, recordaba la sonrisa de mi madre, y las palabras que había yo dicho me parecían extrañas y falsas".

Aunque Ray a menudo le decía cuánto apreciaba a sus abuelos, su opinión sobre los blancos y sus actos racistas, hacían que Obama le recordara que "no estaban viviendo en un barrio de negros en el sur" ni en "una unidad habitacional en Harlem o en el Bronx donde los edificios no tenían calefacción. ¡Estábamos viviendo en Hawai, maldita sea!"

Así que su vida se convirtió en una rutina de ir a la escuela y jugar basquetbol, salir con sus amigos y llegar temprano a casa para cenar y ayudarle a su abuelo a lavar los platos, deslizándose "entre los mundos de los negros y los blancos".

Pero los mundos chocan de maneras sutiles e inexplicables; él se estremecía cuando una chica blanca le decía que le gustaba Stevie Wonder, cuando la señora que estaba en la caja registradora le preguntaba si jugaba basquetbol o cuando el director le decía que era un "chavo genial". "Sí me gustaba Stevie Wonder y amaba el basquetbol e hice mi mejor esfuerzo para ser genial la mayoría de las veces". Trató de entender por qué este tipo de comentarios, bastante inocentes, lo irritaban tanto, pero no encontraba la respuesta.

En su búsqueda de modelos a seguir y sustitutos para el personaje principal que faltaba en su vida, Obama encontró un tesoro en los libros de James Baldwin, Ralph Ellison, Langston Hughes, Richard Wright y W.E.B. Du Bois. Pero mientras se los devoraba, leyéndolos no sólo por entretenimiento sino por la necesidad de descubrir sus significados ocultos y sus verdades profundamente arraigadas, él se inquietó con lo que descubrió en su núcleo. "Seguía encontrando la misma angustia", escribió, "la misma duda; un autodesprecio que ni la ironía ni el intelecto podían desviar. Inclusive la sabiduría de Du Bois, el amor de Baldwin y el humor de Langston, a la larga sucumbieron ante su fuerza corrosiva; al final, cada uno de ellos se vio obligado a dudar del poder de redención que tiene el arte".

Malcolm X parecía ser el único que no se había rendido. Donde los otros se retiraron ("hombres exhaustos, amargados, perseguidos por el diablo"), Obama creyó que Malcolm había inventado su propio camino a la redención. Pero ni siquiera Malcolm podía prescribir un tratamiento para su dolor más profundo, no podía sanar las heridas de sus mundos desgarrados. "Él habló sobre un deseo que alguna vez tuvo, el deseo de que la sangre blanca que corría por sus venas, debido a un acto de violencia" –violación– "de alguna forma pudiera ser expulsada".

Para Obama, eso significaba abandonar "el camino del respeto propio" al que lo había llevado su búsqueda. Se estaría traicio-

> **"Tengo muchos héroes políticos, incluyendo figuras como el Dr. King, el congresista John Lewis y el presidente Lincoln. Estos líderes fueron visionarios, fueron inspiradores y nos dieron a quienes los observamos o los estudiamos, un sentido de esperanza y propósito y una razón para involucrarnos".**
>
> Barack Obama

nando, escribió, si "dejara a mi madre y a mis abuelos en una frontera desconocida".

Obama no lo dice así en su libro, pero durante este periodo en su vida, cuando leía vorazmente, educándose y sumergiéndose en las profundidades de sus sentimientos; tratando, sin importar el poco éxito que tuviera en ese momento, de desenredarlos y entenderlos, deseando encontrar en sí mismo al hombre completamente realizado, al padre, empezó a germinar la semilla de un tipo de salvación diferente. Estaba empezando su formación como escritor.

Pasarían décadas antes de que descubriera su don y se diera cuenta del talento que tenía para la palabra escrita. Escribió *Sueños de mi padre* cuando empezó a practicar la abogacía, a principios de la década de 1990, mucho antes de sus primeras incursiones en la política. Pero menos de dos años después de terminar la preparatoria, descubriría la herramienta más esencial del

bre lo empujaba; se parecía demasiado a la muerte.

Estuvo en drogas en esos días, no sólo por que "estaba intentando probar que tan buen hermano era", escribió, sino porque el subidón lo ayudaba a "sacar de mi mente las preguntas sobre mi identidad".

La Universidad Occidental era un campus idílico y lleno de áreas verdes; estaba

"Si te sientes bien con respecto a mí, hay una gran cantidad de jóvenes allá afuera que podrían ser como yo si se les diera una oportunidad".

Barack Obama

escritor, así como su don más preciado: su voz.

"Drogadicto. Marihuano. A eso me había estado dirigiendo: el último y fatal papel del joven que estaba a punto de convertirse en un hombre negro".

Así se describió Obama cuando era un estudiante de dieciocho años que cursaba el primer año en la Universidad Occidental en Los Ángeles en 1979. "La marihuana había ayudado, al igual que la bebida; tal vez un golpecito cuando lo podía pagar. No una bofetada". Él nunca probó la heroína, escribe, porque el tipo que quería que la probara, estaba todo tembloroso y sudoroso y a Obama no le gustó el aspecto de la cinta de hule con la que se amarraba el brazo ni la aguja con la que se picaba. No quiso tomar parte en la inconciencia que ofrecía el hom-

Aunque Obama pasaba mucho de su tiempo en los campos de juego de Punahou (arriba) y que, como escribió, recibía sólo "bajas calificaciones", se devoraba los libros de James Baldwin, Langston Hughes, Richard Wright y otros escritores que encontraba en los estantes de la biblioteca de su escuela, que estaba dentro del Edificio Cooke (derecha).

"No me opongo a todas las guerras. Me opongo a las guerras estúpidas".

Barack Obama

cerca de Pasadena y lejos de los barrios del sector sur de Los Ángeles. El grupo de estudiantes negros aceptó a Obama fácilmente, muchos de ellos venían de barrios pobres y estaban felices de haber escapado de las peligrosas calles en las que habían crecido. "Yo no había crecido en Compton o en Watts", escribe Obama. "No tenía nada de qué escapar, excepto de mi propia duda interior".

Luego estaban los chicos negros que venían de los suburbios, como la hermosa es-

KUSUNOKI *Arriba:* Eric Kusunoki, Amy Boardman, Brian Wright, Sarah Brown, Janet Sprenger, Bernel Goldberg, Pam *abajo:* Julie Cooke, Tim Robinson, Kam Chun, Vernette Ferreira, Billy Stoner, Whitey Kahoohano, Byron Ho, Barry Obbling, Janet Totaro, Jill Okihiro, Matt Martinson

tudiante que se sintió ofendida cuando Obama le preguntó si iba a ir a la junta de la Asociación de Estudiantes Negros. "Yo no soy negra", le dijo. "¡Soy multirracial!"

A pesar del desprecio que sentía hacia los estudiantes que negaban su condición, reconocía partes de sí mismo en sus "corazones confusos... su confusión me hizo cuestionar nuevamente mi propia identidad racial".

Al asociarse con estudiantes cuya identidad como negros era irrebatible, se hizo

Vestido elegantemente en la sala del Sr. Eric Kusunoki, en Punahou, Obama (izquierda de pie al centro) puso a prueba por primera vez su talento como escritor trabajando en el diario literario de la escuela, Ka Wai Ola ("El agua viviente"). Posó (arriba) con sus compañeros para el anuario en su último año (segunda fila, derecha).

Kim

bunaga, Ira Lim, Dean Ando, Robin Hel-

amigo de un compañero de dormitorio cuya hermana había sido miembro fundador del Partido de las Panteras Negras del medio oeste. Su amigo también había tenido encuentros con la policía y tenía amigos en la cárcel. "Su linaje era puro, sus lealtades eran claras y por esta razón siempre me hizo sentir un poco fuera de balance".

La estrategia para demostrar que era tan recto como su compañero de dormitorio le falló cuando, para la persistente vergüenza de Obama, se burló de otro amigo, un estudiante negro, que tenía antecedentes de clase media y se vestía muy bien, "hablaba como Beaver Cleaver" y tenía una novia blanca. Obama le dijo que era un hermano falso

"¿Por qué dices eso?", le dijo su compañero de dormitorio. "A mí me parece que nos deberíamos de preocupar por resolver nuestros propios problemas, en vez de juzgar cómo se supone que los demás tienen que actuar".

Más tarde, el recuerdo de ese incidente y la pena que le produjo, lo ayudó a salir de la neblina en que lo tenía inmerso la marihuana. Fue su propio miedo de no pertenecer al grupo, se dio cuenta de por qué había

En una reunión de estudiantes, Obama habló frente a un público por primera vez.

"Se está librando una batalla", dijo mientras los estudiantes que jugaban al frisbee en los patios del campus se volvieron hacia él para escucharlo uniéndose a una multitud de estudiantes y profesores. "Se está librando a un océano de distancia. Pero es una batalla que nos afecta a cada uno de nosotros..., una batalla que exige que tomemos partido. No entre blancos y negros. No entre ricos y pobres. No... Tenemos que escoger entre la dignidad y la servidumbre. Entre lo justo y lo injusto. Entre el com-

"La política-por-eslogan ya no se considerará una forma aceptable de debate en este país".

Barack Obama

ridiculizado a su amigo; el miedo "de que a menos de que me evadiera, me escondiera y aparentara ser algo que no era, seguiría siendo por siempre un extraño ante el resto del mundo, blanco y negro, y siempre se me juzgaría".

Finalmente entendió que no tenía por qué ser el esclavo del miedo, de la ira y de la desesperación; entendió que ambos mundos, el blanco y el negro –el de su padre y el de su madre– eran parte de él y que "sólo la falta de imaginación, la falta de valentía", escribió, "me había hecho pensar que tenía que elegir" entre ellos.

En su segundo año en la Universidad, el último que estaría en la Universidad Occidental, tuvo una visión fugaz de lo que sería su futuro, cuando con el apoyo de una amiga, se involucró en el movimiento nacional de estudiantes para exigir que las universidades y facultades se despojaran de los intereses financieros que apoyaban al gobierno apartheid de Sudáfrica.

promiso y la indiferencia. Hay que escoger entre lo que está bien y lo que está mal".

"¡Vamos Barack! ¡Dilo como es!", le gritó alguien.

Pero como ya estaba planeado, fue sacado del escenario por dos estudiantes vestidos como soldados; una representación para dramatizar el hecho de que el derecho de libertad de expresión no existía en Sudáfrica. Sin embargo, mientras sus amigos se lo llevaban, él no quería soltar el micrófono. La audiencia "estaba aplaudiendo y gritando; yo sabía que los tenía, que había logrado una conexión... Realmente me quería que-dar ahí para escuchar cómo rebotaba mi voz en la audiencia y escuchar cómo me aplaudían. Tenía tanto qué decir".

El edificio Pauahi es la estructura central del fabuloso campus de Punahou. Durante los años que estudió ahí, y luego en la Universidad Occidental, Obama libró "una intermitente lucha interior" para encontrar su identidad como un hombre en los dos lejanos mundos en que estaba creciendo: un mundo sin padre, un mundo blanco y negro.

ENCONTRANDO SU CAMINO

Durante el tiempo que estudió en la Universidad Columbia
(derecha y parte superior), a donde Obama se cambió para
cursar sus dos últimos años, vivió en un edificio en el lado
Este de Nueva York, en la calle noventa y cuatro (arriba), que
en la actualidad tiene una apariencia más aristócrata.

3

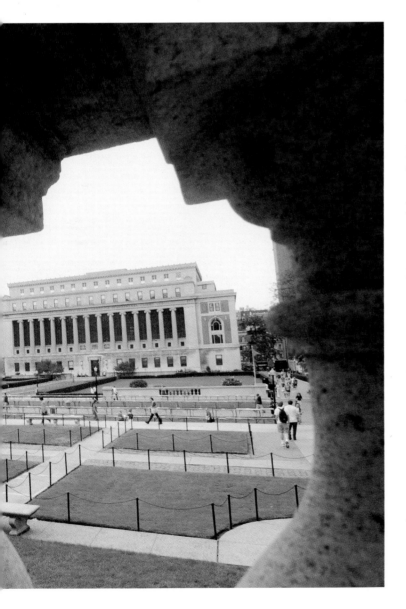

"Espero que no te sientas resentido hacia él", dijo la madre de Barack Obama cuando le preguntó si tenía un timbre postal para una carta que le había escrito a su padre.

Él dijo que "no", pero había pasado más de una década desde la última vez que lo había visto y su correspondencia se había vuelto cada vez más lenta. Él se sentía tan alejado de su padre que de hecho había empezado un primer borrador de la carta escribiendo: "Estimado Dr. Obama".

Era el verano entre su tercer y cuarto año como universitario, años que cursó en la Universidad Columbia. Su madre y Maya, su media hermana, habían ido a visitarlo a Nueva York, donde él estaba trabajando en una construcción y vivía en un departamento en el extremo del Este de Harlem, el cual compartía con un amigo pakistaní que había conocido en Los Ángeles.

Se había cambiado a Columbia con la determinación de romper la atmósfera que le había dado la Universidad Occidental y acabar con los malos hábitos y autoindulgencias a los que había encontrado que era susceptible; al mismo tiempo, estaba ansioso de escapar al ambiente suburbano de Los Ángeles y vivir "en el corazón de una verdadera ciudad", con vecindarios de negros en la cercanía.

Obama llegó a Nueva York a principios de la activa y deslumbrante década de 1980, cuando Wall Street estaba en su apogeo y "Manhattan estaba zumbando" con nuevos y más caros restaurantes y clubes nocturnos que respondían a las necesidades de lo que parecía una explosión de jóvenes profesionales urbanos, "hombres y mujeres de 20 a 30 años de edad que disfrutaban de una ridícula riqueza".

Sintiendo la necesidad de resistirse a la tentación, Obama se concentró en sus estudios y rechazaba las invitaciones nocturnas de su jovial compañero de cuarto, que solía frecuentar bares y salir con chicas. "Te has vuelto un aburrido", le dijo su compañero y Obama, que corría tres millas todos los días, ayunaba los domingos y empezó a llevar un diario en forma, no podía negar que era cierto (en su diario escribía lo que él llamaba "reflexiones diarias y muy mala poesía", pero también escribió pasajes que se convertirían en el material para las memorias que escribiría una década más tarde).

Cuando no estaba en clases o estudiando, exploraba a pie la ciudad y veía "bajo el zumbido" de la increíble ciudad, las legiones de desempleados y abandonados, los departamentos infestados de ratas y de drogas, donde se refugiaban los desamparados y donde eran presa de los traficantes de drogas. Muy poco de lo que ofrecía la administración de Reagan, con una economía que supuestamente favorecería a los de abajo, parecía filtrarse lo suficiente como para aliviar la congelación de la pobreza en que estaban atrapados los desposeídos y las clases más bajas, y de la cual parecía no haber escapatoria.

"Era como si el terreno medio se hubiera colapsado completamente", escribió, dejando a los ricos y a los pobres en lados opuestos de un abismo cada vez más grande. Era un abismo racial y económico que amenazaba en convertirse en un caldero, hirviendo de odio. Ni siquiera los pasillos universitarios eran inmunes a "la maldad que flotaba libremente no sólo en las calles, si no también en los baños de Columbia, en donde, sin importar cuantas veces tratara la administración de repintarlos, las paredes permanecían ralladas con una correspondencia agresiva entre negros y blancos".

Cuando su madre y hermana lo visitaron en el verano de 1982, encontraron a un joven completamente distinto al muchacho flojo y despreocupado que hubieran encontrado en el dormitorio de la Universidad Occidental tres años antes.

Su madre estaba especialmente complacida al saber que le escribiría a su padre para decirle que planeaba visitar Kenya después de su graduación el verano siguiente. "Creo que será maravilloso que ustedes dos finalmente se conozcan mejor", le dijo y luego compartió con él los recuerdos que tenía de su padre, incluyendo la historia de cómo llegó una hora tarde a su primera cita. Esperándolo afuera de la biblioteca de la universidad, ella se había quedado dormida en una banca. Al despertar se dio cuenta de que su futuro marido estaba parado con dos amigos a su lado. "Lo ven caballeros", les comentó, "yo les dije que era una buena chica y que me esperaría".

Por la forma en que contó la historia, sonriendo y riéndose mientras hablaba, él vio la profundidad del perdurable amor que le tuvo a su padre. Aún cuando la había dejado con un bebé para que lo criara ella sola, lo que había dado como resultado su divorcio; ella aún lo amaba. "Ella veía a mi padre como todo el mundo espera ser visto por lo menos una vez por otra persona". Escribió Obama, añadiendo que ella había tratado de hacer que "el niño que nunca lo había conocido, lo viera como ella lo veía".

Cualquier esperanza de que esto sucediera pareció terminar por completo justo unos cuantos meses después, cuando recibió la llamada telefónica de una tía de Nairobi. Su padre había muerto en un accidente automovilístico. Tenía cuarenta y seis años. Su hijo nunca derramó una lágrima.

Mientras sus compañeros graduados de Columbia hacían solicitudes en compañías corporativas que ofrecían salarios altos o mandaban su solicitud para hacer una maestría, Obama sintió el fuego de la pasión que le había inspirado su madre con los relatos que le había contado siendo niño sobre el movimiento de los derechos civiles, sus valientes partidarios y sus mártires heroicos. Él también tenía sus propios deseos idealistas de dar algo a la comunidad y de hacer lo que pudiera para ayudar a los indefensos y a los desposeídos a liberarse del ciclo de pobreza y desesperación.

En lugar de planear un camino para el rápido ascenso en la escalera monetaria, se preparó para su graduación de Columbia en 1983, escribiendo cartas a docenas de organizaciones de derechos civiles, a políticos progresistas como el recién electo Harold Washington de Chicago (el primer regente negro que tuvo la ciudad), a grupos de derechos de inquilinos y a asociaciones vecinales de todo el país.

Cuando no recibió ninguna respuesta, decidió aprovechar su tiempo, encontrar un trabajo, pagar sus préstamos universitarios e intentarlo nuevamente. Esta vez la búsqueda de trabajo fue casi demasiado exitosa. Fue contratado por la multinacional Business Internacional Corporation como asistente de investigación, muy pronto fue promovido a una posición con mayor sueldo como escritor financiero, con su propia oficina, su propia secretaria y suficiente dinero para gastar, sin mencionar la admiración de las mujeres negras que trabajaban como secretarias, quienes se sentían orgullosas de él y predecían que algún día dirigiría la empresa.

Obama estaba empezando a pensar que tal vez sí le gustaba lo que estaba haciendo, cuando recibió otra llamada de África recordándole quién era. Era su media hermana Auma que llamaba para informarle de otro accidente, otra muerte. Otro de los hijos de su padre, un chico llamado David, su medio hermano, había muerto en un accidente con una motocicleta.

No estaba seguro por qué, pero la noticia de la muerte de un extraño a un océano de distancia, que además era su hermano, le recordó que había hecho un compromiso para servir, o por lo menos involucrarse en algo más importante que una oficina en un rascacielos. Unos meses después, presentó su renuncia y mandó otra remesa de cartas buscando trabajo como organizador comunitario.

Después de seis meses, recibió una oferta para trabajar como aprendiz con un popular organizador veterano, el cual estaba trabajando para abrir centros de entrenamiento y ubicación de empleos para las personas que vivían en los vecindarios del lado sur de Chicago, los cuales habían padecido mucho tras el cierre de plantas y los consecuentes despidos. La paga de 10 000 dólares al año, con un adelanto de 2 000 dólares para comprar un auto, hubiera hecho que sus amigos se mofaran de él; inclusive el

---

"No hay nada malo en hacer dinero, pero concentrar tu vida solamente en hacerlo demuestra pobreza de ambición".

Barack Obama

---

guardia de seguridad de su edificio de oficinas le dijo: "Olvídese de ese negocio de organizar y haga algo que le deje dinero... no puede ayudar a la gente que de ninguna manera va a salir adelante, y que no va a apreciar su esfuerzo", pero aún así, aceptó el empleo.

Obama se enamoró de Chicago tan pronto como recorrió la ciudad en su coche, condujo a lo largo de la costa del Lago Michigan y por el corazón de la ciudad, a lo largo de la avenida Martin Luther King; encontró el Teatro Regal, donde solían actuar Duke Ellington y Ella Fitzgerald. Mientras conducía, recordó haber leído cómo Richard Wright se había dedicado a entregar el correo en Chicago mientras esperaba la publicación de su primer libro. Obama comulgaba con los fantasmas de las multitudes, aquellos que hicieron la gran migración hacia el norte desde el Delta, buscando una mejor vida y trayendo consigo las conmovedoras melodías del blues.

Durante su tercer día en la ciudad, encontró la peluquería de Smitty, un lugar en el vecindario en donde la casi mítica calidez y fácil convivencia hizo que Obama se sintiera instantáneamente en casa. Estaba a punto de salir cuando Smitty, el peluque-

"Nuestra salvación individual depende de la salvación colectiva".

Barack Obama

ro, le dijo: "deberías regresar más pronto la próxima vez. Tu cabello lucía bastante andrajoso cuando entraste". Obama, que ahora vive con su esposa e hijas cerca de Hyde Park, ha estado regresando ahí desde entonces.

Si el leer intensamente, el escribir diarios y el análisis personal que Obama llevó a cabo siendo estudiante, le dieron las primeras bases para su futura carrera como escritor, los tres años que pasó en Chicago como organizador comunitario le sirvieron de aprendizaje político. Y vaya que era un reto desafiante, un reto lleno de frustraciones y con recompensas poco frecuentes, pero un reto que le enseñó de primera mano la difícil situación que se vivía en los barrios bajos de Estados Unidos y la capacidad de sus residentes para recuperarse de los golpes de la vida, y que se sentían al mismo tiempo impotentes y esperanzados de que las cosas pudieran cambiar.

Trabajaba con una pequeña red de activistas comunitaros y voluntarios de las iglesias del lado sur, que intentaban ayudar a los residentes a mejorar sus condiciones, y en ocasiones a simplemente arreglárselas lo mejor posible en vecindarios deteriorados, plagados de desempleo y de crimen, en los que un alto porcentaje de jóvenes no terminaba la preparatoria y donde los embarazos

de adolescentes eran frecuentes. Eran vecindarios en donde los servicios urbanos, incluyendo la protección policíaca, eran lentos o casi inexistentes, en donde los parques eran desatendidos y las escuelas no tenían los fondos suficientes, en donde las tiendas cerraban y a veces parecía que sólo se quedaban aquellos que no podían costear la salida. Para conocer a las comunidades y sus necesidades, Obama hizo lo mismo que haría tiempo después, cuando se postuló para trabajar en el gobierno: tocó puertas, asistió a reuniones vecinales en los sótanos de las iglesias, en las cafeterías de las escuelas, en unidades habitacionales, en barras donde se servían comidas, en peluquerías y en las esquinas.

Obama todavía ayuda en los vecindarios de Chicago donde trabajó como organizador comunitario durante los años ochenta. Aquí él y Catherine Moore, una trabajadora del dispensario de Saint James, están repartiendo víveres el Día de Acción de Gracias de 2006.

Dos décadas después, en enero de 2007, cuando anunció su intención de nominarse como candidato a la presidencia, Obama hizo alusión a los años que pasó como organizador comunitario en Chicago, cuando dijo en un discurso grabado para sus partidarios: "Aprendí que los cambios significativos siempre empiezan a nivel local y que los ciudadanos comprometidos que trabajan juntos pueden lograr cosas extraordinarias".

Antes, a mediados de la década de 1980, mientras hacía su campaña entre los votantes de los vecindarios del lado sur de Chicago, escuchaba cómo las personas le contaban sobre sus privaciones, sobre sus esperanzas y sobre su ira. Él y su grupo ayudaban cuando podían, pero muchas veces fallaban. Cuando una mujer con la que había hablado le dijo que a un amigo de su hijo le habían disparado en la calle enfrente de su casa, Obama se reunió con otros padres de familia preocupados por el incremento de la violencia en las pandillas del vecindario y organizó una junta con el comandante de

"No siempre presentarás la solución óptima, pero por lo general puedes encontrar una mejor solución".

Barack Obama

policía del distrito. El comandante canceló y en su lugar se presentó un representante de relaciones públicas del departamento, el cual les dio a los padres de familia un discurso sobre la necesidad de disciplinar a sus hijos.

Fue más afortunado en las campañas que encabezó para lograr que las escuelas adoptaran un programa de consejeros y mentores para adolescentes de alto riesgo. También organizó a los residentes de las unidades habitacionales del lado sur para que exigieran que la ciudad cumpliera con las promesas de quitar el asbesto y dar capacitación para que pudieran conseguir empleo, como se había logrado efectivamente en otros distritos electorales que tenían mejores conexiones. Pequeños grupos vecinales organizados por Obama y sus colegas hicieron campañas de limpieza en las calles y organizaron programas de Vigilancia del Crimen. Logró conseguir que se mejorara el servicio municipal de limpia y consiguió que el departamento de parques limpiara y mejorara las áreas verdes y los parques del lado sur.

Sus éxitos atrajeron algo de atención alrededor de la ciudad; fue invitado a hablar y a unirse a páneles. "Los políticos locales sabían mi nombre", escribió, "aún cuando no pudieran pronunciarlo".

Aún así, los problemas de la ciudad a veces parecían aplastantes. Después de tres años en Chicago, que fueron frustrantes, Obama se dio cuenta de que se estaba inclinando hacia la estructura de poder, sólida e inmóvil, de Chicago, la ciudad de los vientos. Como organizador que trabajaba en los sótanos de las iglesias, podía haber trabajado durante veinte años y encontrarse continuamente con los mismos impedimentos: burocracia, corrupción, líderes vecinales más interesados en proteger su terreno que en mejorarlo, e indiferencia. Para efectuar un cambio real, necesitaba influencia, el tipo de influencia que ejercían los abogados y políticos que tenían verdadero poder en la ciudad. Así que hizo su solicitud para entrar

En su primera visita a la Iglesia de la Trinidad Unida de Cristo en Chicago, hace veinte años, fue donde Obama (que aparece aquí en un servicio en 2004) escuchó la frase "la audacia de la esperanza" en un sermón que dio su pastor, el Reverendo Jeremiah Wright, hijo.

a la escuela de leyes, "y aprender la moneda del poder con todos sus detalles y complicaciones", escribió.

Antes de salir de Chicago, prometiendo que regresaría después de obtener su título de abogado en Harvard, asistió a un entusiasta servicio en la Iglesia de la Trinidad Unida de Cristo en el lado sur. Toda la congregación cantó entusiasta con el coro de música gospel. La fuerza del órgano apoyaba sus voces, mientras la gente se movía al ritmo de un tambor.

En el sermón de ese domingo, salpicado con gritos de: "¡Sí, dilo!" y "¡Jesús!" por parte de la congregación, se habló de las múltiples privaciones que todos los presentes habían padecido –desde cuentas de luz sin pagar, hasta el abuso marital y los fracasos en las escuelas. El predicador, el Reverendo Jeremiah Wright, identificó al enemigo común: la desesperación, así como a su antídoto, algo sin lo que jamás se habría podido intentar un recorrido de la libertad, algo sin lo que ningún artista levantaría jamás una pluma, sin lo que ningún pueblo lucharía por crear un mundo mejor. El sermón se llamó "La audacia de la esperanza".

Obama nunca lo olvidó.

Cuando llegó a Kenya en 1987 para una visita que duraría un mes, antes de mudarse a Boston para empezar a estudiar en la escuela de leyes, ya se había enterado, gracias a su media hermana Auma, de algunas verdades sorprendentes sobre su padre.

Durante una visita previa a Chicago, le había contado a Obama que ella y su hermano Roy habían nacido antes de que su padre se fuera a Hawai en 1959. Ellos vivían con su madre en Kogelo cuando él regreso de Estados Unidos con una nueva esposa, una mujer blanca de nombre Ruth. Auma y Roy se fueron a vivir a Nairobi con su padre, que estaba trabajando para una compañía petrolera estadunidense, y con Ruth, la que al paso del tiempo le dio otros dos hijos.

"El Viejo", como llamaban los hijos africanos al padre de Obama, era dueño de una gran casa en Nairobi, conducía un gran auto y disfrutaba de un estatus alto y privilegiado gracias a amigos que tenían altos puestos en el nuevo gobierno de la Kenya independiente. Después de renunciar a la compañía petrolera y unirse al gobierno para trabajar en el Ministerio de Turismo, tuvo un desacuerdo con el presidente, Jomo Kenyatta, después de que las tensiones crecieran entre la tribu de Kenyatta, los Kikuyus, la más grande de Kenya, y la tribu de los Luos, a la que pertenecía el Viejo.

Poco después, el Viejo fue despedido de su puesto e incluido en la lista negra; al encontrar que todas las puertas de los ministerios y de las agencias gubernamentales estaban cerradas para él, acabó con un trabajo insignificante en el Departamento del Agua.

Abatido debido a la caída en su estatus y enojado porque sus amigos lo trataban como un paria, empezó a beber mucho y frecuentemente perdía los estribos con su esposa e hijos. Ruth lo dejó durante su estancia de un año en el hospital mientras él se recuperaba de un accidente automovilístico en el que murió el otro conductor, un granjero blanco. Fue después de ser dado de alta en el hospital que el padre de Obama lo visitó en Hawai, para pasar la Navidad con su hijo de apenas diez años de edad.

A su regreso a África, perdió su trabajo en el Departamento del Agua y se tuvo que mudar con sus hijos a una casa en ruinas en uno de los barrios más pobres de Nairobi.

Al momento de su muerte, las cosas habían mejorado un poco. Había regresado al gobierno después de la muerte de Kenyatta, para trabajar en el Ministerio de Finanzas e inclusive había tenido otro hijo. A pesar de los chispazos de su antiguo encanto, sus últimos años, le dijo Auma, estuvieron teñidos de amargura y lamentos.

Para Obama, escuchar estas historias totalmente inesperadas de la vida de su padre, que pisotearon todos los mitos que su madre y sus abuelos habían tejido para él, resultó ser bastante perturbador, "sentí como si mi mundo se hubiera volteado de cabeza; como si hubiera despertado para encontrar un sol azul en un cielo amarillo; o como si escuchara a los animales hablando como hombres".

Obama conoció la verdadera historia de la vida de su padre gracias a su abuela (izquierda) durante su primera visita a Kenya en 1987. Sus diferencias políticas con el primer presidente de la nación, Jomo Kenyatta, llevaron Barack, el padre de Obama, a vivir años de pobreza y desesperación. El medio hermano de Obama, Malik (abajo, en 2004), que vive al este de Kenya, sostiene su foto con su famoso hermano estadunidense y un amigo no identificado.

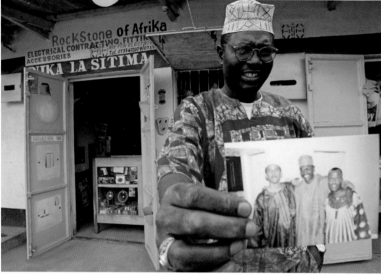

"Lo que quiero poder hacer, si es posible, y no siempre lo es, es entablar un diálogo con la gente que no está de acuerdo conmigo".

Barack Obama

Cuando conoció a Dorsila, la hija más joven de su tatarabuelo Obama, que a su vez fuera descendiente de Owiny, el legendario guerrero Luo cuyo ejército derrotó a los Bantu nueve generaciones antes de que

el hombre blanco llegara a Kisumu, ella se asustó cuando Barack sacó un encendedor Bic para prender su cigarro.

"Ella quiere saber de dónde viene el fuego", le explicó Auma. "Dice que las cosas están cambiando tan rápido que la cabeza le da vueltas. Dice que la primera vez que vio la televisión, pensó que las personas que estaban dentro de la caja... eran muy groseras, porque cuando ella les hablaba, nunca le contestaban".

Todos estaban sentados bajo un árbol de mango fuera de la casa que su padre le había construido a su abuela; era de un solo piso, con paredes de concreto que se estaban desmoronando y techo de lámina, bugambilias alrededor del patio y pollos picoteando en la tierra.

En una pared de la casa en Kogelo, un pueblo como cincuenta millas al norte del Ecuador y cerca de la costa del Lago Victoria, colgaba el diploma del doctorado que hizo su padre en la Universidad de Harvard. Un área dónde unas cuantas generaciones antes hubo un clan que vivía en una aldea familiar, usando sólo taparrabos de piel de cabra, criando cabras y sembrando maíz, como ese pueblo lo había hecho durante cientos de años.

Dorsila, que sólo hablaba Luo, escuchaba cómo Obama y la "abuelita" de Auma compartían la historia oral de su familia.

"Primero fue Miwuru. No se sabe si fue antes. Miwiru engendró a Sigoma, Sigoma engendró a Owiny...". Hablaba con la cadencia del Génesis, hasta que al final rastreó a los descendientes de Miwiru a lo largo de trece generaciones hasta llegar a Obama, el futuro Senador de Estados Unidos. "Cuando tu abuelo era todavía un niño", le dijo, "empezamos a escuchar que el hombre blanco había llegado al pueblo de Kisumu. Se decía que estos hombres blancos tenían la piel tan suave como la de un niño, pero que viajaban en una nave que rugía como el mismo trueno y que tenían palos que lanzaban fuego".

Obama escuchaba embelesado cómo sus antepasados se reunían alrededor del fuego para escuchar a los ancianos sabios o a los trovadores "cantar sobre las grandes hazañas del pasado".

Pero la historia que contaba la abuela no era sobre hazañas heroicas, sino sobre los dolorosos cambios traídos por los británicos, que con armas y mediante la recolección de impuestos, destruyeron el antiguo modo de vida de los Luo en el lapso de una sola generación. El abuelo de Obama fue uno de los primeros hombres del clan en adoptar la manera de vivir del hombre blanco: cambió su ropa tradicional por trajes y zapatos, aprendió a hablar, leer y escribir en inglés, sólo para terminar amargado y en quiebra después de toda una vida al servicio de sus amos coloniales.

Por la abuela, Obama supo que el padre que lo abandonó había sido también abandonado a la edad de nueve años por su madre, y siendo un adolescente, su padre lo corrió de su casa debido a su espíritu rebelde. A pesar de sus calificaciones excelentes, fue expulsado de una escuela de misioneros. "Metía chicas a escondidas a su dormitorio", le dijo la abuela, "porque siempre les hablaba a las chicas con mucha dulzura". Y cuando fue arrestado y encarcelado por su participación en el movimiento de independencia, su padre se rehusó a pagar su fianza.

Su padre fue liberado poco después, pero a los veinte años de edad sus sueños y ambiciones de recibir la educación que necesitaba para crear una vida mejor, habían desaparecido. Estaba casado, tenía un hijo y ya venía en camino una hija, Auma. Tenía un trabajo poco importante en Nairobi y no tenía ninguna esperanza de lograr el futuro brillante que siempre había imaginado en la Kenya independiente. En vez de eso, permanecería hundido en la pobreza, agobiado como su propio padre por la desesperación y la amargura.

Pero entonces una reunión casual con dos educadores estadunidenses que vivían en Nairobi, cambiaría su vida. Se hicieron sus amigos e impresionados por su mente brillante y su actitud comprometida, le prometieron ayudarlo a entrar a una universidad, si antes completaba un curso por correspondencia para obtener un grado de educación secundaria. El padre de Obama hizo lo que le sugirieron, pasó el curso y procedió a escribir docenas de cartas a universidades y facultades en Estados Unidos.

"Sólo cuando te enganchas a algo más grande que tú, te das cuenta de tu verdadero potencial".

Barack Obama

Cuando la abuela terminó su historia, le enseñó a Obama copias de las más de treinta cartas, cada una con recomendaciones de sus dos amigos estadunidenses, que su padre había escrito a las escuelas de Estados Unidos.

Esas cartas fueron "como un mensaje en una botella", Obama pensó más tarde al recordarlas, mientras estaba junto a la tumba sin lápida de su padre, que se encontraba al fondo de la propiedad de su abuela en Kogelo. "¡Que afortunado se habrá sentido cuando llegó su barco! Cuando esa carta de aceptación llegó de Hawai, él seguramente sabía que después de todo había sido escogido; que poseía la gracia de su nombre el *baraka*, la bendición de Dios".

Mientras estaba junto a su tumba, sintió que lo conocía, lo comprendía y lo perdonaba por primera vez en su vida. Su padre no había sucumbido a la desesperación. Había tenido la "audacia de la esperanza".

Y por primera vez, su hijo lloró por él.

APRENDIZAJE POLÍTICO

4

"Nuestro partido ha escogido a un hombre que nos guíe, el cual representa lo mejor que tiene que ofrecer este país". Obama (esquina superior derecha y con Michelle, arriba) se refería a John Kerry en la Convención Demócrata de 2004. Espera que se diga lo mismo de él en 2008.

Mientras esperaba tras bastidores en el Centro Fleet en Boston, donde daría el discurso de apertura de la Convención Demócrata de 2004, Barack Obama tenía una buena razón para estar nervioso. Y no sólo porque le habían asignado diecisiete minutos ininterrumpidos en el horario de máxima audiencia en las tres grandes cadenas de televisión, por cable y vía satélite, que transmitirían su discurso alrededor del mundo.

Era un senador completamente desconocido del estado de Illinois que por primera vez había conocido a John Kerry, el portador del estandarte presidencial de su partido, durante las elecciones primarias de Illinois a principios del año, donde habló en un evento para recaudar fondos para Kerry. Obama se sorprendió y se sintió halagado cuando unas semanas más tarde recibió noticias de que Kerry quería que él diera el discurso en la convención. Le causó un gran impacto cuando el director de campaña de Kerry llamó antes de la convención para decirle a Obama que no sólo hablaría para la camarilla del estado o para presentar a uno de los hombres fuertes del partido a los delegados, sino que daría el discurso de apertura.

Para todos los demás también fue un gran impacto.

Los demócratas recordaban muy bien que en 1988, cuando otro político completamente desconocido llamado Bill Clinton fue elegido para dar el discurso de apertura, éste corrió la misma suerte en la conven-

"Tenemos una administración que cree que el papel del gobierno es proteger a los poderosos de los impotentes", dijo Obama (hablando ante la Convención Demócrata, izquierda, y haciendo campaña para el Senado en Chicago en 2004, arriba y abajo).

"Soy demócrata porque somos el partido que cree que estamos en esto juntos".

Barack Obama

ción que la que corrió el candidato demócrata, Michael Dukakis, en las elecciones generales de ese año.

Entre los fieles miembros del partido que se reunierons en el Centro Fleet, varios delegados estaban claramente decepcionados de que el discurso estuviera a cargo de un desconocido proveniente del medio oeste, y no a cargo de alguien como los Roosevelt o los Kennedy de los años gloriosos del partido o, incluso a cargo de Clinton, cuya labia finalmente había llevado al partido de nuevo al poder cuatro años después del desastre de Dukakis.

Hasta David Axelrod, un antiguo amigo de Obama y director de campaña, tenía "los nervios destrozados" mientras se acercaba la hora cero. Obama trató de tranquilizarlo mientras llegaban al centro de convenciones. "Recuerdo que me daba golpecitos en el hombro y me decía 'No te preocupes'", recordó después Axelrod. "'Dejaré huella'".

Pero a solas en el cuarto verde con su esposa Michelle, una abogada que había sido su mentora cuando él trabajo en su empresa en el verano de 1988 durante su primer año después de haberse graduado en la facultad de leyes, admitió que estaba un poco nervioso.

Obama recuerda ese momento en *La audacia de la esperanza:* "Ella me dio un fuerte abrazo, me miró a los ojos y me dijo: '¡Solamente no te equivoque amigo!'"

No lo hizo.

Usando una corbata prestada, se paró en el estrado y dio el discurso que los demócratas, y muchos republicanos, calificaron como uno de los mejores discursos de apertura que se han dado durante una convención política en la historia.

En el salón de convenciones todos vitoreaban mientras Obama hablaba sobre la "verdadera genialidad de Estados Unidos", una nación donde "podemos decir lo que pensamos, escribir lo que pensamos, sin escuchar repentinamente un golpe en la puerta... Una nación donde podemos participar en el proceso político sin miedo a la represión y sabiendo que nuestros votos serán contados, al menos, la mayoría de las veces".

Cuando dijo que vivimos en un mundo peligroso donde la "guerra debe ser una opción, pero nunca debe ser la primera opción", era obvio a qué se refería. Habló sobre un joven de la marina armada que debía ir a Irak y ardía en deseos de servir a su país y tal vez, morir por él. "Pensé que este joven era todo lo que esperamos ver en un hijo. Pero entonces me pregunté: ¿lo estamos ayudando tanto como él nos está ayudando a nosotros?"

Y despertó las emociones de todos cuando habló sobre el número de víctimas entre los soldados (en ese entonces eran 900, antes de que ocurrieran 3 100 muertes más) y el número de mutilados, que regresaban a casa "sin una extremidad o con los nervios destrozados".

Su tema de "nadie es una isla" estuvo presente en todo su discurso: "Si hay un niño en el lado sur de Chicago que no sepa leer, eso me concierne... Si hay una anciana en algún lugar que no puede pagar sus medicamentos y tiene que elegir entre ellos y la renta, eso hace que mi vida sea más pobre... Si hay una familia árabe-americana que está siendo acosada sin tener el beneficio de un abogado o de un juicio justo, eso amenaza mis libertades civiles".

Pero lo que la mayoría consideró más memorable fue su llamado a que todos los ciudadanos formaran una "familia estadunidense unida": "No hay un Estados Unidos liberal y un Estados Unidos conservador... No hay un Estados Unidos blanco y un Estados Unidos negro... solamente existen los Estados Unidos de América.

"A los expertos les encanta separar a nuestro país en Estados Rojos (republicanos) y Estados Azules (demócratas)... pero les tengo noticias... Veneramos a un Dios fabuloso en los Estados Azules, y en los Estados Rojos no nos gusta que los agentes federales se entrometan en nuestras bibliotecas. Participamos como entrenadores en las ligas pequeñas de beisbol en los Estados Azules y tenemos amigos gay en los Estados Rojos".

Cerró su discurso con esta declaración: "cuando esta larga oscuridad política termine, un día brillante llegará". El discurso fue recibido por un nutrido aplauso y hubo comentarios fabulosas sobre la actuación "hipnotizante" y "fenomenal" de Obama. La revista *Time* lo consideró "uno de los mejores discursos en la historia de las convenciones", e incluso la publicación *National Review* de tendencias conservadoras, dijo que el discurso "simple y poderoso" era merecedor de la "entusiasta crítica" que había recibido.

Después del torrente de alabanzas y de publicidad que recibió, Obama alcanzaría

---

"Barack es el sueño americano... definitivamente es lo mejor que este país puede ofrecer, y eso hace que el Partido Demócrata se sienta orgulloso".

Terry McAuliffe, antiguo presidente del Comité Nacional Demócrata

---

Obama posando en la oficina del *Harvard Law Review* el 5 de febrero de 1999, después de haber sido nombrado Presidente.

fácilmente la victoria en su propia carrera por el Senado de Estados Unidos y tendría uno de los pocos triunfos que los demócratas obtendrían en una elección en la que no pudieron ganar la presidencia y perdieron escaños en ambas cámaras del Congreso.

Así nació la nueva y brillante estrella de la política en Estados Unidos.

Impresionar con su actuación no era algo nuevo para Obama. Apareció en las noticias a nivel nacional por primera vez en 1990 cuando fue el primer estudiante negro en llegar a ser presidente del prestigioso *Law Review* de la Facultad de Leyes de Harvard. Por la publicidad que recibió gracias a esto, tuvo llamadas de editores en Nueva York, quienes lo alentaron para que empezara a trabajar en sus memorias, una propuesta embriagadora para un estudiante de maestría que todavía no tenía treinta años de edad.

Sus compañeros estaban impresionados con su garbo a la luz pública. "No se portaba en el campus como el hombre importante que definitivamente era", dijo Hill Harper, un antiguo compañero de clase de la Universidad de Harvard que después se convirtiera en actor (programa de TV, *CSI: Nueva York*). Y su profesor de derecho constitucional, Laurence Tribe, que llevaría el caso de Al Gore contra George W. Bush ante la Suprema Corte durante la disputada elección

del 2000, lo eligió como su asistente de investigación, y más tarde declaró que Obama había sido "uno de los dos estudiantes más talentosos que había tenido en treinta y siete años como profesor". (Todavía estamos esperando saber el nombre del otro).

"Después de Harvard, Obama pudo haber hecho lo que quisiera", dijo David Axelrod. "Se pudo haber ido a la más opulenta firma de abogados". O mejor aún, para un estudiante de leyes recién graduado y con nobles ambiciones, pudo haber conseguido un puesto en la Corte de Apelaciones de Estados Unidos, uno de los caminos más rápidos para llegar a la Suprema Corte. Pero cuando el Jefe de Justicia de la corte de apelaciones, Abner Mikva, trató de contratarlo, Obama le dijo: "No, gracias".

Antes de que se graduara con magna cum laude en 1991, Obama estaba recibiendo ofertas de empresas de Wall Street y grandes corporativos de todoel país. Cuando el abogado de derechos civiles de Chicago, Judd Miner, leyó lo que resultaría ser un informe erróneo de que Obama planeaba trabajar en una compañía que comercializaba medias de seda en Chicago, llamó al *Law Review*. La secretaria que contestó le dijo que Obama no estaba y preguntó si era una llamada para ofrecerle un puesto.

"Dije: 'me imagino que sí'", recordó Miner años más tarde. "Ella me dijo: 'lo pondré en la lista, usted es el número 643', o algo así".

Obama rechazó los puestos que pagaban más dinero y para el deleite de Miner y sus socios, aceptó la posición en la empresa Miner, Barnhill & Galland, donde trabajó en casos de discriminación. "No existen demasiadas personas súper talentosas, y la mayoría de ellas son un dolor de cabeza", dijo uno de los socios al *Times* después de que Obama dejara su puesto para postularse como Senador de Estados Unidos. Pero "Barack", añadió, "es el paquete completo".

Entre casos, Obama trabajaba en sus memorias, y en 1992, encabezó una campaña, llamada Proyecto VOTA a lo largo del estado para que los votantes se registraran, la cual añadió a 150 000 votantes, y se le dio

crédito por haber ayudado a Bill Clinton a ganar el estado de Illinois en las elecciones de ese año.

También encontró tiempo para enseñar derecho constitucional como profesor superior en la Facultad de Leyes de la Universidad de Chicago, trabajo que continuaría haciendo hasta enero del 2004, todo un año antes de iniciar su carrera para el Senado de Estados Unidos. "El enseñar te mantiene alerta", le dijo Obama al *New Yorker* ese año. "Lo mejor sobre enseñar derecho constitucional es que todas las preguntas difíciles llegan a tus manos: aborto, derechos de los homosexuales, acción afirmativa. Y es necesario que puedas presentar argumentos para ambos lados. Tengo que ser capaz de presentar argumentos para el otro lado tan bien como lo hace el Juez Scalia [el Juez conservador, Antonin Scalia, de la Suprema Corte]. Pienso que esto es bueno para nuestra política".

Cuando Obama decidió intentar hacer leyes además de enseñarlas, fijó su vista en un escaño abierto en el senado del estado de Illinois, en un distrito que incluía tanto el sector universitario de Hyde Park en donde él vivía, como algunos de los barrios más pobres de Chicago. Sin embargo, antes de lanzar su campaña, tenía que obtener el visto bueno de su esposa Michelle, una abogada sensata cuyo interés en la política no era muy fuerte.

Más tarde en una entrevista ella declaró: "Dije, 'me casé contigo porque eres atractivo e inteligente, pero esto ha sido lo más absurdo que me pudiste haber pedido'". "Afortunadamente para todos nosotros, Barack no era tan cínico como yo".

Alta, brillante y hermosa, Michelle, que nació en 1964, creció a medio continente y a un océano de distancia de los hogares en Indonesia y Honolulu, en donde Obama creció. "Él tenía esta infancia internacional mixta, mientras que yo era de Chicago al cien por ciento". Michelle, que venía de una familia grande, que vivía en un vecindario del lado sur donde la mayoría eran de raza negra y trabajaban como obreros, le dijo a la revista *New Yorker* en 2004. "Mi abuela vivía

En el verano, después de su primer año en la Escuela de Leyes de Harvard (abajo izquierda), Obama (recibiendo su diploma en 1991, arriba), empezó a salir con Michelle Robinson, una abogada que trabajaba en el corporativo de la oficina de abogados donde él trabajó como interno.

a cinco cuadras de distancia. Barack comparaba esto con el programa de televisión de Ozzie y Harriet", dijo.

"Era una típica chiquilla negra del lado sur", dijo. "Y mis calificaciones en la escuela fueron lo suficientemente buenas como para entrar a la Universidad de Princeton", donde Craig, su hermano mayor, era la estrella en el equipo de basquetbol. "Por supuesto que las cosas eran diferentes siendo negra", le dijo al *New Yorker.* "También eran diferentes por el hecho de que yo no estaba podrida en dinero".

Después de graduarse con un cum laude en Princeton, Michelle también fue a la Facultad de Leyes de Harvard, pero no conoció a Obama hasta que él llegó como un asociado de verano a la gran empresa corporativa de abogados donde ella trabajaba en Chicago. Como compartía la incomodidad de Obama en las salas de reuniones de las grandes empresas, finalmente renunció para empezar un programa no lucrativo para el desarrollo de liderazgo, antes de ir a trabajar para los Hospitales de la Universidad de Chicago, donde ahora es vicepresidenta de relaciones comunitarias.

Obama con su esposa Michelle el día de su boda. Su madre, Ann, que posó con Marian, la madre de Michelle durante la boda de la pareja en 1992 (derecha), murió de cáncer tres años después. *La audacia de la esperanza* está dedicada a la madre de Obama, "cuyo amoroso espíritu todavía me sostiene".

Se casaron en 1992, en la Iglesia de la Trinidad Unida de Cristo, a la que hasta la fecha siguen asistiendo. Presidió la ceremonia el Reverendo Jeremiah A. Wright, el predicador cuyo sermón titulado "Audacia de la esperanza" había impresionado tanto a Obama. La familia de Michelle y la mayoría de la familia de Barack, incluyendo a su madre y sus medias hermanas Maya y Auma, asistieron a la ceremonia. "Nuestras familias se llevan excelentemente bien", le dijo Michelle al *New Yorker*. Después de todo, señaló, "ambos somos del medio oeste. En el fondo, él es de Kansas, gracias a sus abuelos y a su madre".

En 1996, después de conseguir el apoyo de su todavía escéptica esposa y con el apoyo de sus amigos, de sus colegas de la universidad y de contactos que había hecho como abogado en derechos civiles, Obama, de treinta y cinco años de edad, se postuló para la legislatura de Illinois por el mismo distrito del lado sur en donde había trabajado como activista comunitario y organizador una década antes. "Entré a la contienda y procedí a hacer lo que cualquier candidato novato hace: hablé con todo aquel que me escuchara", escribió en *La audacia de la esperanza*. "Fui a reuniones vecinales, a eventos sociales en la iglesia, a salones de belleza y a peluquerías. Si dos hombres estaban en la esquina, atravesaba la calle y les daba literatura de la campaña".

Las tácticas no habían cambiado mucho desde que otro abogado de Illinois, Abe Lincoln, hizo campaña por primera vez, y estas tácticas le funcionaron a Obama, quien ganó la carrera y llegó a la sesión legislativa de 1997 en Springfield, la capital del estado en donde Lincoln lanzó su carrera política y en donde, diez años más tarde, Obama anunciaría formalmente su intento para llegar a la presidencia.

Como ocurrió en Washington en el 2005, en 1996, Springfield tenía una asamblea con una minoría demócrata presidida por un ejecutivo republicano. "Los demócratas de Springfield", escribió Obama, "gritaban, vociferaban y fulminaban, y luego se quedaban indefensos cuando los republicanos aprobaban grandes reducciones a los impuestos corporativos, y esto se lo achacaban a la fuerza laboral o reducían drásticamente los servicios sociales".

En una escena reveladora de su libro, Obama recuerda un debate en el que un senador republicano "se puso histérico" ante una propuesta para dar desayunos a los niños de preescolar porque dijo que eso "destruiría su espíritu de confianza en sí mismos".

"Den un salto de fe conmigo".

Barack Obama

"Tuve que señalar", escribió Obama, "que no conocía a muchos niños de cinco años que tuvieran confianza en sí mismos, pero que los niños que pasan sus años formativos demasiado hambrientos para aprender, podían fácilmente terminar siendo cargas para el estado". La ley fue rechazada inicialmente (una versión modificada sería aceptada más tarde) y los "preescolares de Illinois", escribió, "fueron salvados temporalmente de los efectos debilitantes del cereal y la leche".

Pero irritar a sus oponentes no era el estilo de Obama cuando entró al senado. Por el contrario, trabajó con colegas de ambos partidos, forjó amistades mientras tomaba una cerveza con ellos o en juegos de poker bipartidistas... "Estoy pagando la universidad de sus hijos", se quejó un jugador demócrata –y les ganó casi a todos. "Cuando inicialmente llegó a Springfield, muchos resentían su buena apariencia, su habilidad para hablar con elocuencia y su intelecto", diría el senador republicano Kirk Dillard a

primer término para enmendar la constitución del estado de modo que incluyera atención a la salud como un derecho para todos los residentes de Illinois, no llegó a ningún lado), logró enmendar las leyes para reducir impuestos propuestos por los republicanos de modo que incluyeran ayuda a las familias de bajos ingresos. Trabajó expertamente en el senado en una ley de reforma sobre las finanzas de las campañas y consiguió que se aprobaran leyes para expandir los programas educativos de los niños e impedir que los prestadores usureros, cobraran tazas gigantescas sobre las hipotecas a posibles compradores de bajos ingresos. "Es extraordinario que un novato con mentalidad de reformador haya logrado tanto como él", dijo al *Washingtonian*, Abrer Mikva, juez de la Corte de Apelaciones, que antes había intentado contratar a Obama. "Cultivó muchas amistades".

Durante los primeros seis de sus ocho años en el senado, y aunque pertenecía al partido minoritario, Obama le dijo a la revista *Harper's*: "Presenté tal vez diez proyectos de ley... la mayoría fueron en conjunto con los republicanos. El primer año en que fuimos mayoría, presenté veintiséis proyectos de ley sólo en un año".

Muchos de esos proyectos surgieron del Comité de Salud y Servicios Humanos, el cual presidió una vez que los demócratas tuvieron control en el senado. Pero el éxito de Obama más novedoso, controversial e impresionante, políticamente hablando, fue la ley que marcó un hito histórico en 2003 y que requería que la policía de Illinois grabara en video los interrogatorios de todos los casos de pena de muerte.

Aunque estaba convencido de que la pena de muerte no funciona como fuerza de disuasión, sí cree que "hay algunos crímenes –los asesinatos en serie, la violación y el asesinato de un niño– tan atroces que se pasan de la raya, y la comunidad está completamente justificada al expresar su indignación y exigir el máximo castigo".

Al mismo tiempo, los casos de pena capital en Illinois en ese momento, "estaban tan llenos de errores, con tácticas policiales

la revista *Washingtonian*. Pero Obama los impresionó con su ética en el trabajo y con su compromiso para hacer que las cosas se llevaran a cabo. "Él se presentará en cualquier reunión que exija su atención", dijo Dillard. "Si Barack tiene algún enemigo, es simplemente por celos. Yo no creo que tenga ningún enemigo con una buena razón para serlo".

"Desde el primer día en que entró a esta cámara, supe que estaba destinado para hacer grandes cosas", dijo otro senador republicano al *New Yorker*. "Está a mi izquierda sobre el control de las armas y el aborto. Pero en realidad sí puede trabajar con los republicanos".

Aunque no todas sus iniciativas fueron aceptadas, (una que propuso durante su

bastante cuestionables, predisposiciones raciales y con errores por parte de los abogados", que trece de los condenados a muerte que habían sido erróneamente condenados, fueron exonerados y el gobernador, un republicano, se vio obligado a ordenar que se pospusieran las ejecuciones.

A pesar de la obvia necesidad de reformas, Obama empezó virtualmente sin ningún apoyo para sus propuestas: la policía y los fiscales se oponían, así como el recientemente electo gobernador demócrata y los senadores de ambos partidos, quienes temían que se les tachara de ser indulgentes

ante el crimen; incluso algunos grupos que se oponían a la pena de muerte, se resistían a las reformas, pues buscaban la abolición total de la pena de muerte.

Durante un periodo de varias semanas, Obama convocó reuniones con todos aquellos grupos que inicialmente se opusieron a la legislación. Más que discutir la moralidad de la pena de muerte, Obama logró que todos estuvieran de acuerdo en "el principio básico de que ninguna persona inocente debería terminar en el pabellón de la muerte y que ninguna persona culpable de una ofensa capital debería ser liberada". En las reuniones, Obama convenció a la policía y a los fiscales diciéndoles que filmar los interrogatorios sería una "poderosa herramienta para condenar a los culpables", como

"Cuando la gente me dijo que no podría ganar la carrera del Senado en Illinois", dijo Obama, "no les creí (aquí aparece en una reunión con sus ayudantes de campaña, centro; durante una llamada en una habitación de hotel, arriba derecha; y hablando al celebrar su victoria en el Senado, izquierda, con Michelle y sus hijas).

"Pienso que lo que más anhela la gente en la política en este momento es autenticidad".

Barack Obama

Comiendo con el alcalde de Chicago, Richard Daley, en la Cafetería Manny en 2004. Ahora, Obama cuenta con el apoyo de Daley y otros aliados demócratas en su carrera hacia la presidencia.

"Si eres un banquero de inversión personal, ciertamente querrás invertir en las acciones de Barack Obama... Es una inversión sólida en la escena política estadunidense".

Senador Dick Durbin

Obama posteriormente dijo a la revista *Time*, así como para salvar a los inocentes. Obama y sus partidarios acordaron modificar la ley cuando la policía dijo que partes de ella entorpecerían las investigaciones, pero rechazó la propuesta que hicieron de grabar solamente la confesión y no el interrogatorio completo, porque, escribió, "todo el propósito de esta ley era darle confianza al público de que las confesiones se obtieen sin ningún tipo de coacción". Al final, la propuesta se aprobó por unanimidad y se convirtió en ley.

"Un buen compromiso, una buena legislación, es como una buena oración. O como una buena pieza de música", le dijo Obama al *New Yorker* el siguiente año. "Todos la pueden reconocer. Dicen 'Ah, funciona. Tiene sentido'. Por supuesto eso no sucede con mucha frecuencia [en la política], pero llega a suceder".

Después del golpe que recibió en el 2000, cuando perdió las elecciones primarias al postularse para el escaño de Bobby Rush en el congreso, con un margen de dos a uno, un experto de Chicago preguntó en televisión: "¿Está muerto Obama?"

Y al año siguiente, cuando el líder de la guerrilla en Afganistán mandó un pelotón de fanáticos en una misión kamikase a Estados Unidos, el experto pareció obtener una respuesta a su pregunta. "La sabiduría convencional", recordó David Axelrod, "era que nadie llamado Barack Obama iba a ser elegido tres años después del 9 de septiembre".

Aún así, cuando el senador republicano de Estados Unidos, Peter Fitzgerald anunció que se retiraba y otro posible candidato demócrata, Jesse Jackson Jr., se opuso (Jackson era un popular congresista de Illinois y amigo de Obama. La hermana de Jackson, Santita, había sido dama de honor en la boda de Barack y Michelle), Obama anunció su candidatura en enero de 2003.

Así como lo hizo la primera vez que se postuló siete años antes, primero se aseguró de que su "disparatada idea" fuera aprobada por su esposa, a la que llama uno de los dos "poderes más altos" que consulta antes de tomar cualquier decisión importante. En ese entonces ya eran padres, su hija Malia nació en 1999 y su hermana Sasha le siguió en el 2001. La pareja vivía en un modesto condominio en Hyde Park y aunque eran una familia con dos ingresos, no estaban precisamente nadando en dinero. Michelle estaba consciente de las exigencias de hacer una campaña, de la cantidad de tiempo que su esposo pasaría fuera de casa y de la atención que no recibirían las niñas por parte de su padre. Siendo una madre que trabajaba y "que se hacía cargo de dos niñas brillantes, esto es algo disparatado", dijo Michelle al *New Yorker*. "No es realista".

También se sentía profundamente escéptica ante las promesas que le hizo Obama de que todo iba a funcionar. "Le expliqué", diría más tarde Obama al *Washingtonian* "que lo que iba a pasar era que yo iba a ganar las primarias, luego las generales y después iba a escribir un libro".

A pesar de lo improbable que parecía el escenario, ella, de mala gana aceptó, pero le dijo que "no necesariamente iba a contar con su voto".

O con el de cualquier otro, para el caso. "Francamente", recuerda el congresista de Alabama, Artur Davis, "muchas personas creían que si no podías ganar un escaño en la Cámara, ¿cómo ibas a ganar un puesto en el Senado?"

Se enfrentaba a otros seis contendientes demócratas, incluyendo al interventor del estado de Illinois, que contaba con el apoyo del legendario Partido Demócrata de Chicago, así como el de los sindicatos más poderosos del estado, y a un hombre de negocios millonario que contaba con 29 millones de dólares para su campaña. Obama no tenía una verdadera organización, sólo un pequeño grupo de cuatro personas novatas que trabajaban en una pequeña oficina en Chicago, unos cuantos donadores interesados y ningún apoyo de los dirigentes demócratas.

Cuando recorrió todo el estado, lo hizo viajando solo en su propio coche y dependía de la bondad de la gente y de los amigos de los amigos para que invitaran a algunos vecinos a hablar alrededor de la mesa de la cocina. Cuando podía reunir suficiente gente para llenar el sótano de una iglesia o de un club Rotario, invariablemente explicaba que su padre había nacido en Kenya, en África, "y de ahí proviene mi nombre", y que su madre era de Kansas, "lo que explica mi acento".

Cuando marchó en el desfile del Día de San Patricio en Chicago, un rito de rigor para cualquier político de Illinois, él y un ejército de diez voluntarios que logró reunir, desfilaron casi al final, justo delante de los camiones de basura.

La mayoría de los observadores supuso que Obama sería sacado de la campaña junto con el resto de la basura. Aunque tenía posibilidades de ganar el voto en su distrito y en otros distritos predominantemente negros en el estado, muy pocos creyeron que podría ganar votos en los distritos de los suburbios de Chicago o en los pequeños pueblos del estado, en donde, como un escritor de la revista *New York* dijo: (de manera ingeniosa, aunque injusta, como finalmente resultó) "la respuesta típica ante una persona de color era subir las ventanas del auto".

Pero el dinero inteligente no había contado con el atractivo que tendría Obama para los votantes en los suburbios, en los pueblos pequeños y en las granjas del centro y sur de Illinois, en donde él hizo una vigorosa campaña, atrayendo en un principio a grupos de granjeros, trabajadores, empleados de tiendas y maestros que se reunían para conversar y tomar café, pero al poco tiempo empezó a atraer multitudes. Los suburbios, principalmente blancos, tampoco estaban inmunes a la fiebre de Obama. "Si hace veinte años hubiera yo dicho que habría en el césped letreros con fotografías de un afroamericano, con un nombre africano, por todo mi distrito en el lado noroeste de Chicago, la gente me habría pedido que me hiciera un examen antidrogas". Rahm Emanuel, un antiguo ayudante de Clinton, que ahora es congresista por el estado de Illinois, le dijo al *New York*, "Y sin embargo, ahí estaban esos letreros".

"Barack tiene algo diferente", dijo un plomero del estado. "Te hace sentir como si no fuera un político, sino más bien un líder".

"Conozco a esas personas", dijo Obama mientras manejaba por el centro de Illinois con un escritor del *New Yorker*. "Son mis abuelos. La comida que sirven es la misma comida que mis abuelos me daban cuando estaba creciendo. Sus modales, su sensibilidad, su sentido del bien y del mal, todo es completamente familiar para mí".

Las personas que lo aceptaron fueron tantas que ganó las elecciones primarias con un 53 por ciento de los votos, pero no antes de que se revelara que la ex esposa del hombre de negocios millonario, que llevaba la ventaja, había pedido una orden de res-

tricción en su contra por haberla golpeado. Después vino su oponente para la elección general, Jack Ryan, un conservador en quien el partido nacional republicano tenía grandes esperanzas de que ganara el puesto: "Con una estatura de casi dos metros y la atractiva apariencia de un actor de Hollywood... [Ryan] se mantiene en forma en lo moral y en lo físico, yendo a Misa y al gimnasio todas las mañanas", dijo el columnista conservador George Will.

Ryan seguía a Obama por dieciséis puntos cuando, para ganar el terreno perdido, contrató a un conservador especialista en ataques, Scott Howell, famoso por manchar la reputación del senador de Georgia, Max Cleland, que había perdido ambas piernas en Vietnam, diciendo que no era un patriota y que era tan peligroso para la seguridad de la nación como Osama bin Laden.

Pero las tácticas de Howell fracasaron cuando uno de sus agentes comenzó a acechar a Obama con una cámara de video, siguiéndolo a todos lados y "parándose a menos de un metro de la cara de Obama para bombardearlo con preguntas", informó la Prensa Asociada. Hasta los republicanos se mostraron indignados. "Todo el mundo sabe que la política es un deporte de contacto", dijo Obama con aplomo, pero admitió que no le había gustado la invasión, especialmente cuando el camarógrafo lo

"He escogido una vida con un horario ridículo", escribió Obama, cuyos largos fines de semana en casa, que le permite su horario en el Senado, se van a volver más escasos durante su próxima campaña presidencial. Aquí está ayudando con los platos del desayuno antes de llevar a Malia, izquierda y a Sasha a la escuela una mañana en 2006.

"Vas a ser un candidato presidencial muy creíble".

Arzobispo Desmond Tutu de Obama

grabó en momentos privados, cuando hablaba por teléfono celular con su esposa e hijas. Sin embargo, Obama le dio la vuelta a la confrontación para su propia ventaja. Describió esa táctica como "política destructiva, precisamente el tipo de política que quiero cambiar".

Al final, la campaña de Ryan se vino abajo y él se tuvo que salir de la carrera en medio del escándalo que surgió cuando su ex esposa, la actriz del programa *Boston Public*, Jeri Ryan, alegó en los papeles de divorcio que presentó, que Will, el devoto héroe republicano, la había llevado a clubes de sexo y había intentado convencerla de hacer actos sexuales con él en público.

Después de ese fracaso rotundo, los republicanos desesperados, importaron un

suplente de Maryland, el antiguo candidato presidencial Alan Keyes de tendencia derechista, aparentemente con la teoría de que otro candidato negro podría desafiar a Obama. ("Sabes, tú y yo tenemos algo en común", le diría George W. Bush a Obama cuando se conocieron en el enero siguiente. "Ambos tuvimos que debatir con Alan Keyes. Ese hombre es algo serio ¿verdad?".)

Efectivamente, los desvaríos de Keyes en la tribna pronto lo alejaron de los votan-

Obama caminando con su hija Malia al salir de su casa en Hyde Park, un próspero vecindario del lado sur de Chicago, rumbo a la escuela, en Octubre de 2006.

tes de Illinois. "Al decir que Jesucristo no votaría por Obama y que todos los homosexuales son pecadores", dijo un estratega, parafraseando el típico discurso de Keyes, "va más allá de los límites de lo aceptable en el lenguaje del debate político".

Si Keyes se estaba hundiendo antes del discurso de apertura que dio Obama en la convención, después de él se detuvo por completo. "No me di cuenta de que el discurso afectaría tanto como lo hizo", dijo Obama más tarde a la revista *Ebony*, "En realidad, lo único que estaba yo tratando de hacer era describir lo que estaba escuchando durante la campaña, las historias de es-

peranza, los miedos y los sufrimientos que las personas comunes experimentan todos los días. Las personas se escucharon en ese discurso y pienso que eso hizo que respondieran a él".

Después de eso, todo había terminado, excepto la votación. Con la candidatura de Keyes muy por detrás de la de Obama y con su elección virtual asegurada, pasó mucho de su tiempo utilizando su recién adquirida fama, e invirtiendo el capital político que venía con ella, en las campañas políticas de otros candidatos demócratas en todo el país.

El día de la elección, Obama tuvo una victoria arrolladora de más del 70 por ciento de los votantes y obtuvo la mayoría de los votos en todos los sectores del estado.

Con la publicación de la nueva edición de sus memorias, destinadas a convertirse en un best-seller, recibió un adelanto de 1.9 millones de dólares para escribir tres libros más. Al resolverse sus preocupaciones financieras, pagó sus préstamos de la univer-

---

"No estoy seguro de que alguien esté listo para ser presidente antes de serlo".

Barack Obama

"Sólo necesito un boleto; estoy dispuesto a pagar hasta $75".

Letrero visto en un rally de Obama

sidad y compró una casa de 1.6 millones de dólares para su familia en Hyde Park.

En enero de 2005, cuando él y su esposa llegaban a un hotel en Washington, días antes de su juramento como el senador recién electo del estado de Illinois, Michelle recordó la predicción que él le había hecho al principio de la campaña, cuando le habló de su plan descabellado de ganar las primarias, luego la elección y después escribir un libro.

"Salimos del elevador", dijo Obama a la revista *Washingtonian*, "y ella me miró y me dijo, 'No puedo creer que lo hayas logrado'".

"Saben, me gustaría ser un gran presidente... Porque hay muchos presidentes mediocres o deficientes".

Barack Obama

Cuando su familia fue presentada al Vicepresidente Dick Cheney después de la ceremonia de juramento de Obama para el Senado en enero de 2005 (izquierda), su hija Malia estrechó la mano del Vicepresidente mientras que Sasha lo saludó con una palmada de la mano extendida. "Este es un nuevo punto bajo en la política estadunidense", dijo un reportero sobre las tácticas agresivas de Justin Warfel (con Obama, derecha), un republicano contratado para grabar en vídeo todos los movimientos de Obama durante la carrera por el Senado en 2004. Sus oponentes se disculparon y Obama (esperando su turno para hablar en una iglesia en Illinois meses después, arriba) continuó con su campaña sin inmutarse.

UN HOMBRE EN MARCHA

En el sentido de las manecillas del reloj desde abajo: Obama en Missouri con la candidata para el Senado Claire McCaskill; en Iowa con el Senador Tom Harkin; en Ohio con el candidato para gobernador Ted Strickland; en Los Ángeles con el candidato para gobernador Phil Angelide; y en Bellevue, Washington, apoyando a la Senadora Maria Cantwell.

Como la nueva estrella en las filas de los demócratas, el senador Barack Obama fue llamado por políticos de todo el país para que visitara sus distritos electorales y los ayudara a ganar votos para el partido durante las cruciales elecciones de 2006. El servicial Obama recorrió la nación en una deslumbrante manifestación de apoyo político y obteniendo, en el proceso, un mayor reconocimiento que será de gran utilidad en campañas futuras.

En el sentido de las manecillas del reloj desde la derecha:
Obama firmando libros en un rally demócrata en Filadelfia;
en Florida con el candidato a gobernador Jim Davis; en
Hoboken, Nueva Jersey, apoyando al Senador Bob Menéndez;
en un rally para los candidatos demócratas en Tempe,
Arizona; en Little Rock, Arkansas, apoyando al candidato a
gobernador Mike Beebe; y en Nashville apoyando al candidato
al Senado Harold Ford Jr.

EL SENADOR OBAMA

ESPEGA

5

Por más de veinte años, los dos hombres de la delegación de Illinois en el Senado de Estados Unidos han sido los anfitriones regulares de las reuniones de donas y café que se realizan todos los jueves por la mañana en el Capitolio para todas las personas de Illinois que se encuentran de visita en Washington. Las reuniones semanales para tomar café, una tradición que comenzó el antiguo senador de Illinois, Paul Simon en 1985, ofrece a las personas comunes una oportunidad de te-

Como miembro del Comité de Relaciones Exteriores del Senado, cuando ya estaba bajo el control de los demócratas, Obama, que toma el metro (izquierda) para viajar desde su oficina (centro) y a las reuniones del comité (derecha), se concentró en asuntos internacionales durante sus primeros dos años en el puesto.

El Senador Obama trabajando en su oficina en Chicago el 2 de octubre de 2006.

"Definitivamente creo que hay momentos en la historia de Estados Unidos en los que hay oportunidades para cambiar el lenguaje de la política o hacer que el país dirija la mirada a un lugar diferente, y pienso que ahora estamos en uno de esos momentos".

Barack Obama

ner un intercambio informal de ideas con los funcionarios que ellos eligieron y ofrece a los senadores un espacio para mantenerse en contacto con los votantes de su estado.

Las reuniones de café siempre habían sido amistosas pero se limitaban a varias docenas de personas. Pero todo eso cambió cuando Barack Obama llegó al Capitolio re-

---

"Estados Unidos está listo para cambiar de página. Estados Unidos está listo para un nuevo tipo de desafíos. Este es nuestro momento. Una nueva generación está lista para el liderazgo".

Barack Obama

---

cibiendo más atención que cualquier otro senador recién electo, salvo Bobby Kennedy y Hillary Clinton. Las reuniones de los jueves fueron trasladadas a un salón más grande para albergar a las multitudes de fanáticos de Obama que lo llenaban a reventar, y no todos ellos venían de Illinois.

Perecía que muy pronto, Obama y el veterano senador de Illinois, Dick Durbin, tendrían que llevar a cabo dichas reuniones en estadios para acomodar al personal, al equipo de seguridad, y al séquito de los medios que ha seguido a Obama desde que anunció su candidatura a la presidencia. Aún antes, los cafés, animadas sesiones en las que Obama y Durbin respondían preguntas de los electores, poco a poco habían empezado a dejar de parecer charlas informales alrededor de la mesa del desayuno y a tener el aspecto de eventos a gran escala, a los que asistían hasta ciento cincuenta personas sentadas, mientras docenas más se quedaban de pie en la parte posterior del salón y a otras tantas se les negaba el acceso. En una reunión en 2006, cuando Obama presentó a Durbin como uno de los diez me-

jores senadores, de acuerdo a la revista *Time*, éste se refirió al estrellato de su joven colega, diciendo: "Yo todavía no he aparecido en la portada del *Newsweek* ni he ganado un Grammy".

En otra reunión de los jueves, Durbin le recordó a la audiencia que después de que Obama hiciera el primer lanzamiento en un partido de beisbol de los Medias Blancas de Chicago el año anterior, éstos volvieron a ganar la Serie Mundial por primera vez después de ochenta y ocho años. Cuando un estudiante universitario de Illinois le preguntó si podía hacer lo mismo para que ganaran los Cachorros, que habían sido incluso más desafortunados, pues en el 2007 se cumplieron cien años desde que ganaron su último campeonato, Obama dijo, "mi brazo no es tan bueno".

Muchos demócratas, cuyo recuerdo del último líder del partido que vivió en la Casa Blanca está empezando a sentirse igual de distante, tienen grandes esperanzas de que Obama pueda lograr otra vez su magia, aunque no para ayudar a los Cachorros.

Después de su juramento al ingresar al Senado, durante un cálido y brillante día de invierno en enero del 2005, en compañía de su esposa, sus hijas y miembros de su familia que llegaron desde Hawai y Kenya, los cuales lo miraban orgullosos, Obama asistió a una recepción en el Salón Este de la Casa Blanca. Mientras caminaba entre la multitud, la mayoría republicanos recién llegados al Congreso, un fotógrafo le preguntó a un reportero que se encontraba cerca: "¿Quién es él?", sin esperar una respuesta, añadió, "Definitivamente 'tiene algo'".

"El Natural", como lo llamó el *The Atlantic Monthly* poco menos de dos años más tarde, después de las elecciones de mitad del mandato en el 2006, cuando Obama dejó perplejos a los demócratas al ayudarlos a llegar nuevamente al poder y fue aclamado como el joven vigoroso, como la estrella brillante del nuevo partido que estaba resurgiendo. "Obama ya se ha establecido como el máximo líder de la nueva generación", declaró un demócrata poderoso e influyente. "No hay nadie que pueda competir con él".

Obama, un zurdo desenvuelto, hizo el primer lanzamiento en el juego de campeonato de los Medias Blancas en 2005, la temporada en que su equipo local obtuvo el campeonato (arriba); charlando en los pasillos de la cámara del Senado (arriba derecha); y con un gesto indicando "OK" durante una junta del personal en 2006 (derecha).

El diario británico *New Statesman* lo llamó una de las diez personas "que pueden cambiar al mundo". La revista en línea *Slate* delcaró: Obama ya había "puesto de cabeza a la política estadunidense".

El editor del sitio, Jacob Weisberg, se refería, con urgencia, a un acontecimiento que todavía estaba dos años en el futuro: las elecciones presidenciales del 2008. Poco tiempo antes, la senadora del estado de Nueva York, Hillary Clinton, que todavía no anunciaba su candidatura para la nominación de su partido, era considerada ampliamente como la demócrata a vencer. No tan

"Si tú fueras mi esposo, no te dejaría andar por ahí solo".

Una invitada le dijo a Obama durante una cena en Illinois para la Sociedad Dental

rápido, dijo Weisberg, y escribió, "Obama, no Hillary, sería el principal contendiente demócrata" si se uniera a la carrera.

Cuando en diciembre del 2006 Obama confesó que estaba considerando dicha opción, la posibilidad de su candidatura se

convirtió en la plática de la república. Oprah, Larry King y Jay Leno le pidieron que anunciara su candidatura en sus programas. "Si Obama se postula, gana", escribió Markos Moulitsas del blog liberal *Daily Kos*.

Cuando Charlie Rose le preguntó a su invitada, Nora Ephron (una persona con acceso privilegiado en Washington, que alguna vez estuvo casada con el reportero del *Washington Post*, Carl Bernstein) que se encontraba al aire promoviendo su libro *Me siento mal por mi cuello*, si pensaba que Obama estaba listo para el trabajo, Ephron dejó muy claro que le gustaba más que sus propias partes del cuerpo. "No quiero esperar hasta que esté listo", dijo la guionista, cuyas películas *Cuando Harry conoció a Sally* y *Algo para recordar* ... demostraron su agudo sentido de zeitgeist (espíritu de los tiempos). "Estoy lista para Barack Obama. No creo que tengamos que esperarlo seis años, porque las cosas están empeorando a toda velocidad".

Los demócratas no eran los únicos que veían a Obama como un candidato formidable. "En los círculos republicanos", dijo un antiguo senador del estado de Illinois, "siempre habíamos temido que Barack se convertiría en la estrella de rock de la política estadunidense".

"Barack Obama es una máquina de esperanza que habla y camina", dijo el repu-

Obama, un orador persuasivo, (en una reunión con un grupo de estudiantes en 2006) desarmó a una audiencia escéptica durante un discurso sobre Israel. "Fue increíblemente atento", dijo uno de los miembros de la audiencia. "Y la audiencia estaba maravillada. Barack logró que aquellas personas que no estaban de acuerdo con él se sintieran a gusto con el desacuerdo".

"Si hay un niño en el lado sur de Chicago que no sepa leer, eso marca una diferencia en mi vida, aún cuando no se trate de mi hijo".

Barack Obama

blicano de Texas Mark McKinnon, que ha trabajado como ayudante de George W. Bush, "la gente lo ve como un reflejo de lo bueno y maravilloso de Estados Unidos. Es como un espejo de lo que la gente piensa que debería ser. Es exitoso, talentoso, respetuoso, moderado, juicioso, atento y profundamente humano".

McKinnon fue tan lejos que logró acuñar un slogan potencial para Obama: "Yo creo que la gente lo ve como un puente humano que puede unir al país", escribió en un e-mail para un reportero, apodando al posible presidente Obama como el "curandero en jefe".

Hasta el Director de Iniciativas Estratégicas de Bush, Peter Wehner, aplaudió el llamado que hizo el senador-autor, para acabar con todos los pleitos y unirse para lograr hacer las cosas por el bien del país. "La gente capta a Barack Obama como un hom-

¿Tres presidentes? Obama voló a Houston después del huracán Katrina junto con Bill Clinton y George H. W. Bush para hablar con los residentes desplazados de Nueva Orleáns en septiembre del 2005. En el Senado, fue parte del equipo que presentó un proyecto de ley para impedir que la segunda administración de Bush otorgara contratos de reconstrucción sin una licitación.

bre razonable, cortés, ecuánime, bien intencionado, con una mente justa, no apegado a una ideología, agradable".

Obama se ganó este tipo de halagos del partido opuesto durante sus primeros dos años en el Senado, controlado por republicanos, como lo había hecho siendo un senador estatal del partido minoritario en Springfield. "Si Barack no está de acuerdo contigo o cree que no has hecho algo apropiado", dice Tom Coburn de Oklahoma, uno de los republicanos más conservadores del Senado, "es el tipo de hombre que está dispuesto a hablar contigo al respecto. Se acerca a ti y te dice: 'No creo que hayas sido sincero sobre mi propuesta'. Lo he visto hacerlo en la sala del Senado".

Coburn y Obama se hicieron amigos cuando ambos llegaron a Washington en 2005 como senadores entrantes. Los dos socializaron, llevaron a cabo sesiones de lluvias de ideas durante cenas informales y han sido co-autores de un número de propuestas de ley, incluyendo una que fue aprobada por ambas casas del Congreso para crear un sitio público de Internet que permite a los contribuyentes ver cómo el gobierno ha gastado su dinero. También unieron fuerzas después del huracán Katrina para impedir que la administración de Bush invirtiera el dinero de los contribuyentes en un puñado de compañías dándoles contratos sin licitación para proyectos de reconstrucción en la destrozada Costa del Golfo.

Al menos parte de la apelación bipartidista, señaló *The Nation*, brotó de la comprensión de los republicanos de que el poder estelar de Obama reforzaría cualquier propuesta de ley que presentara junto con ellos. Pero Coburn declaró que Obama trasciende las líneas de los partidos como debería hacerlo un verdadero hombre de estado.

"Lo que hace Washington", dijo Coburn a la revista *Harper's*, como si hubiera leído *La audacia de la esperanza*, "ha provocado que todos se concentren en lo que no están de acuerdo, y no en lo que sí están de acuerdo. Pero el liderazgo cambia eso. Y creo que Barack tiene la capacidad el dinamismo y el carisma para ser un líder de Estados Unidos, no un líder de los demócratas".

> **"Simplemente estoy muy impresionado con él como hombre, como abogado, como individuo y como alguien que prefirió no entrar en una empresa de abogados sino convertirse en un organizador comunitario y hacer algo para resolver los problemas de la comunidad".**
>
> Vernon Jordan, amigo de Obama y asesor de la Administración de Clinton

Había muchos demócratas que creían que Obama tenía lo necesario para lograr que el partido regresara directamente a la Casa Blanca. El antiguo Líder de la Minoría del Senado, Tom Daschle, que ahora es consultor político en Washington, ve a Obama como una estrella naciente a la que los demócratas harían bien en unir sus aspiraciones. "Tiene tanto carisma como cualquiera que yo conozca", dijo Daschle, "Obama es auténtico. Ha crecido en estatura en muchas formas diferentes en el poco tiempo que ha transcurrido desde que apareció en el escenario público. Es una estrella naciente, como muchas personas en otros ámbitos de la vida. Las llamamos 'sensaciones de la noche a la mañana'. Pero él trabajó para llegar a este punto. No hay nada de 'la noche a la mañana en Barack Obama".

El beisbol fue un tema en que George W. Bush y Obama se vieron frente a frente. (Aquí está con el Senador Dick Durbin, izquierda, y el dueño de los Medias Blancas Jerry Reinsdorf, derecha, después de un homenaje a los ganadores de la Serie Mundial del 2005).

Otros demócratas estaban casi aturdidos ante la expectativa de su candidatura. Llamándolo "el primer candidato post-ideológico", Rahm Emanuel, congresista de Illinois y poderoso estratega nacional demócrata, dijo que piensa que "Barack puede ser un jugador en los cincuenta estados... Hay estados que hemos perdido a lo largo

> ## "Debemos entender que el poder de nuestra diplomacia debe igualar al poder de nuestro ejército".
>
> Barack Obama

toxicante. "Cuando llevas a cabo acciones políticas y te encuentras con Barack", dijo Judd Miner, el abogado de derechos civiles que contrató a Obama en su empresa en 1991, "piensas, '¡hay esperanza!'".

Una clase similar de reconocimiento inspira a los ejércitos de activistas voluntarios que Obama ha atraído a su campaña presidencial . "La gente califica esto como beberse el jugo", dijo Dan Shomon, que como director político de la campaña de Obama para llegar al Senado, ayudó a movilizar a sus entusiastas partidarios para visitar vecindarios, distribuir literatura, organizar llamadas telefónicas y llevar a los votantes a las urnas. "La gente empieza a beber el jugo de Obama y no puedes encontrar suficientes actividades para ellos".

Pero algunos demócratas se preguntaban si la euforia por Obama era buena para el partido. Aunque hay muchos que comparan a Obama con algunos candidatos carismáticos que tuvieron éxito en el pasado ("Él despierta el atractivo que despertaba John F. Kennedy como un candidato joven, atractivo e inteligente", dijo el experto presidencial de Princeton, Fred Greenstein), otros dicen que la experiencia de Kennedy y su servicio en la guerra hacía que estuviera

de la historia en los que sería un gran jugador".

Para los demócratas que no están en el poder, en especial para los progresistas que se han dado por vencidos en lo relacionado con las reformas políticas, sociales, económicas y de relaciones exteriores que habían deseado, el atractivo de Obama es casi in-

> ## "Héroe de guerra contra mocoso novato".
>
> Barack Obama, en una posible cita para la carrera presidencial McCain-Obama

mejor capacitado que Obama. Kennedy ganó medallas en la marina armada y en el cuerpo de marines por su heroísmo en el Pacífico, fue electo dos veces para el Senado y prestó servicio durante ocho años antes de entrar a la Casa Blanca en 1961. Los críticos observaron que Obama sólo se ha enfrentado al reto de una sola carrera por el Senado y para 2009, cuando empiece la siguiente administración, sólo habrá prestado cuatro años de servicio.

Sus partidarios señalan que Obama tendrá cuarenta y nueve años para entonces (John F. Kennedy sólo tenía cuarenta y tres años cuando asumió el cargo como presidente) y sus críticos no toman en cuenta los siete años que pasó en la legislatura de Illinois. Y añaden que el presidente actual sólo sirvió un periodo como gobernador en

"Tal vez no lleva cuarenta años en la política, pero tampoco es precisamente un niño. Es un hombre bien establecido que sabe mucho del mundo".

William M. Daley, antiguo Secretario de Comercio de los Estados Unidos, refiriéndose a Obama

un estado en donde la legislatura tiene más poder que la rama ejecutiva, y se preparó para el puesto dirigiendo una empresa perforadora de petróleo que fracasó y como dueño parcial de un equipo de beisbol, mientras que Obama, por el contrario, trabajó asiduamente durante años ayudando a los pobres y a quienes no tenían derecho al voto, como organizador comunitario y abogado de derechos civiles.

"Lo importante no es la experiencia en sí; Donald Rumsfeld y Dick Cheney tenían las mejores currículas en Washington e iniciaron el fiasco en Irak", dijo Obama el año pasado, "sino más bien, ¿alguien tiene el juicio necesario para aprender de la experiencia y tomar buenas decisiones?"

"No es experiencia lo que las personas exigen", dijo el encuestador republicano Frank Luntz al *National Journal*. "Es capacidad. No es '¿has hecho esto antes?'. Es, '¿podrías hacerlo en el futuro?' Y Obama tiene la imagen de 'lo-puedo-hacer'".

"Las personas quieren confianza en que el presidente sabrá guiar y tendrá convicciones fuertes e integridad", añadió el antiguo Secretario de Prensa de Bill Clinton, Mike McCurry. "El senador Obama emana eso por todos sus poros".

Otros críticos cuestionaban la posibilidad de que Obama resultara electo en las primarias de los demócratas, y aún más en la elección general contra un oponente tan formidable como el favorito republicano John McCain, que fue senador durante cuatro periodos, fue prisionero de guerra en Vietnam y cuyas condecoraciones en tiempo de guerra, incluso una guerra que fue tan poco popular como la desastrosa guerra en Irak, brillarían aún más.

Sus partidarios dicen que la juventud comparativa de Obama trabajará a su favor.

Combinando los negocios con el placer, Obama se reunió con el Arzobispo Desmond Tutu durante una visita de investigación a Sudáfrica y a Kenya, donde habló sobre las crisis del SIDA y de Darfur y se mostró disgustado ante el gobierno de Kenya por los abusos contra los derechos humanos y la restricción de los derechos civiles, en un discurso televisado a toda la nación en agosto de 2006.

Un día después de que Obama y su esposa se hicieran exámenes de SIDA (derecha) en Kisumu, Kenya, para disipar el miedo de los habitantes, que ha provocado que se avance lentamente en la lucha contra la enfermedad, posó con un "observador de altura" cerca de la frontera con Somalia en agosto de 2005.

Obama es que ya es tiempo de dejar atrás la política antigua y que él es la personificación de la nueva. Y después de las tácticas destructivas y la espantosa polarización de los años de Clinton y Bush, cualquiera que descarte la potencia de ese mensaje no ha estado prestando atención".

Mucho antes de que se iniciara la temporada de las elecciones primarias, Heilemann señaló que gran parte del entusiasmo inicial por Obama se basaba en la idea de que él, simplemente, no es Hillary Clinton, que en ese entonces muchos considerban como la candidata más fuerte para ganar la nominación demócrata, pero que, como lo expresó un escritor del *National Journal* "muy probablemente sería sacrificada en la elección general". Como un estratega político dijo a la revista: "Existe un gran temor en los círculos demócratas de que... en la elección general [la senadora Clinton] no pueda ganar. La sed de una nueva cara es palpable. La percibo en todas las conversaciones políticas con los demócratas".

Al mismo tiempo, Heilemann escribió: "La ventaja que tiene Obama sobre Hillary es que despierta un agrado genuino en las personas. El poder de la personalidad en la política no se puede exagerar". No obstante, añadió, "Hillary Clinton permanece como la candidata favorita, aunque prohibitiva, para ganar la nominación demócrata. Tiene el dinero. Tiene el currículum. Tiene la experiencia del asesor político más astuto del planeta (su esposo), y la inconmovible lealtad de un bloque sustancial de los votantes de su partido".

Y Heilemann también estaba entre los que decían que Obama podría marchitarse al calor de la campaña de la elección general. Como un estratega demócrata dijo de Obama: "Nunca se le ha puesto a prueba, nunca se le ha escudriñado. Nunca ha habi-

Él es veinticinco años más joven que Mc-Cain, y trece años más joven que Hillary Clinton. "Hay algo que decir", escribió Jennifer Senior en un simpático e intuitivo artículo en el *New York* sobre el atractivo de Obama para los jóvenes, "es un político que creció sin usar patillas y que no escuchó a Simon y Garfunkel".

El propio Obama ve su juventud como una ventaja ante un electorado que, como le dijo a Senior, está cansado de que los líderes hablen sobre asuntos viejos. "Son peleas que se libraban allá en los dormitorios en la década de los sesentas", dijo, haciendo alusión a la llamada guerra cultural sobre asuntos como Vietnam y la libertad sexual. "Pienso que la gente siente que, 'ya no hay que volver a discutir temas de los años sesenta, después de cuarenta años".

Inclusive un crítico de Obama, como el escritor del *New York,* John Heilemann, está de acuerdo: "La esencia de la campaña de

do nadie que escudriñe su pasado como lo harán los republicanos. Sería un candidato más fuerte si antes ya hubiera pasado por este crisol de fuego".

Obama estuvo de acuerdo, y le dijo a un reportero que gracias a que su oponente republicano se había salido de la carrera antes de que su especialista en ataques pudiera formular una estrategia eficaz, "en cierta forma obtuve un pase libre... No estuve sujeto a un montón de publicidad negativa. Y nadie pensó que iba a ganar. Así que básicamente me acostumbre a decir lo que pensaba. Y me funcionó. Así que pensé que bien podía seguir haciéndolo".

Pero anticipando precisamente dichos ataques, su propia campaña estudió con detenimiento su expediente del senado, para encontrar el tipo de información que los republicanos pudieran usar en su contra. Sus investigadores, escribió en *La audacia de la esperanza,* "no encontraron mucho, pero encontraron lo suficiente para lograr el truco: una docena o más de votos que, descritos sin un contexto, podrían parecer bastante espeluznantes".

Uno fue una propuesta de ley sobre crímenes relacionados con drogas, "que se redactó en forma tan deficiente, que llegué a la conclusión de que era ineficaz y anticonstitucional". Obama votó contra ella, dejándolo vulnerable a los ataques como lo sugirió uno de los investigadores al decir que los republicanos lo podrían usar: "Obama votó para que se redujeran los castigos a pandilleros que venden drogas en las escuelas". Otro dijo que él había votado contra el proyecto de ley para "proteger a nuestros niños contra los delincuentes sexuales". Obama protestó diciendo que por error, había votado en contra en vez de a favor, e hizo que su voto fuera inmediatamente corregido en el acta oficial. "En cierta forma no creo que esa porción del acta oficial pueda llegar a la publicidad de los republicanos", dijo su gerente de campaña, David Axelrod, con una sonrisa irónica.

En lo que respecta a su corta estancia en el Senado de Estados Unidos, Obama estaba consciente, al iniciarse las elecciones primarias, que tanto los republicanos como los demócratas, estarían revisando su registro de votaciones para encontrar lodo que arrojar. La mayoría de los analistas políticos están de acuerdo en que una de las razones de que sólo dos senadores –Warren G. Harding y John F. Kennedy– hayan sido elegidos como presidentes desde 1900, es que su registro de votaciones proporciona un terreno más fértil para dichas investigaciones.

En un capítulo rico en anécdotas y perspicacia de su libro sobre la historia y el trabajo interno del Senado, Obama cita un pasaje del libro de Kennedy, *Perfiles del valor [Profiles in Courage],* sobre "el pavoroso

---

"Nuestros líderes en Washington parecen incapaces de trabajar juntos de una manera práctica y con sentido común. La política ha llegado a ser tan amarga y partidista, tan involucrada en el dinero y en la influencia, que no podemos atacar los grandes problemas que exigen soluciones".

Barack Obama

---

carácter irrevocable de una decisión que confronta a un senador que se enfrenta a un importante recuento.

"Tal vez necesita más tiempo para tomar su decisión", escribió Kennedy, "quizás cree que hay algo más que decir por ambos lados –tal vez siente que una ligera enmienda podría eliminar todas las dificultades– pero cuando se hace el recuento, no se puede esconder, no puede evadirse, no se puede retrasar".

Obama estaba en el lugar noventa y nueve de antigüedad, de los cien escaños que tiene el Senado. Durante su primer año, tuvo cuidado de no permitir que su poder de estrella se entrometiera en la cámara. "Él no quiere ser una figura bíblica que lleva las tablas de piedra", le dijo Axelrod a un reportero. "Sabe que tiene que hacer el trabajo". Michelle Obama dijo: "Yo veo a mi esposo dispuesto a trabajar y finalmente haciendo algo para justificar toda esta atención que recibe".

Para Obama, el poder hacer su trabajo, significaba rechazar con cortesía más de trescientas invitaciones por semana para hablar o presentarse en programas de televisión y eventos públicos. En vez de eso, mantuvo un perfil bajo y se concentró en contratar a un equipo que lo ayudara (incluyendo al antiguo jefe de personal en la Compañía Daschle), en hacer amigos en ambos lados y en consultar a sus mayores como

"¿Vas a intentar ser presidente? ¿No deberías ser primero vicepresidente?".

Malia Obama, haciéndole una pregunta a su padre

Ted Kennedy, Robert C. Byrd, el nonagenario y antiguo miembro del Ku Klux Klan del Condado Raleigh (en West Virginia), con quien creó un fuerte vínculo, y con Hillary Clinton. También se concentró en asuntos prácticos como los beneficios por incapacidad que se otorgan a los veteranos y el gasto de la infraestructura federal, que preocupaba a las personas en su estado, y en propuestas de ley programadas para el tipo de recuentos exigentes que John F. Kennedy había descrito.

"Es muy difícil pensar en algo tan masivo como postularse para presidente en este tiempo", dijo Michelle (con su familia en Hyde Park, arriba) en marzo de 2006. "Ese no es un tema de nuestras conversaciones diarias". Aparentemente fue hasta diciembre, cuando Obama habló de ello en New Hampshire, un mes antes de lanzar su campaña para la Casa Blanca (derecha).

Llevaba solamente dos semanas de su periodo, cuando una de esas votaciones lo hizo quedar mal con su propio partido y con algunos de los más grandes contribuyentes de su campaña. Obama se unió a los republicanos al votar por una propuesta de ley para limitar las demandas legales relacionadas con acción popular, lo que lo distanció de los consumidores, de los grupos de derechos laborales y civiles que lo habían apoyado, sin mencionar a los grupos de abogados que habían contribuido fuertemente en su campaña. "Cuando se ganan convenios multimillonarios y todo lo que las víctimas consiguen son cupones para

"Hillary Clinton no puede igualar las habilidades retóricas de Obama y a veces no se da a entender bien en grupos grandes", escribió un comentarista sobre Obama (con Clinton en la convención NAACP en 2006, abajo; y haciendo campaña con la veterana de la guerra de Irak, Tammy Duckworth, derecha). "Ella se gana a grupos más pequeños y a los individuos uno por uno. Obama es el maestro de los grupos grandes".

obtener productos gratis, no se está sirviendo a la justicia", dijo Obama, pues cree que tales demandas deberían escucharse en los tribunales estatales o federales, no a nivel local, dijo en un una declaración, explicando la razón de su voto. "Y cuando los casos

"Personalmente tengo grandes esperanzas para él".

Harold M. Ickes, el asesor de la campaña por el senado de Hillary Clinton, acerca de Obama

se juzgan en los condados sólo porque se sabe que esos jueces otorgarán grandes recompensas, rápidamente se obtienen acuerdos sin nunca descubrir quién estaba bien y quién estaba mal".

Todd Smith, presidente de la Asociación de Abogados Litigantes de América, uno de los contribuyentes de Obama y una gran fuerza que respaldó la propuesta de ley

contra la cual votó Obama, lo visitó y le expresó su desilusión. El cabildero dijo a la revista *American Prospect*, que el comité de acción política de su grupo seguiría contribuyendo con las campañas de Obama. "Fue bastante abierto", dijo Smith. "Él me dijo: 'Todd, adelante, dime lo que piensas'. Y lo hice. Él creyó que era necesario hacer cambios y... sintió que su voto era correcto. Yo no creo que tu apoyo hacia alguien aumente o se pierda debido a un solo tema. Él estará apoyando a las personas comunes y a sus derechos la mayor parte del tiempo y cuando no lo haga, estoy seguro que será por razones sólidas, al menos en su mente. Él ya es un destacado Senador de Estados Unidos".

Aunque se ha unido a las filas de su partido en la mayoría de las votaciones, incluso en las relacionadas con los nominados de Bush para la Suprema Corte (votó en con-

tra), la investigación sobre las células madre (votó a favor) y en una enmienda de la constitución para prohibir la quema de banderas (votó en contra), él provocó el enojo de los liberales de su partido pues modificó su firme posición anterior contra la guerra, tras repetidas visitas al país en viajes de investigación durante sus primeros dos años en el cargo.

Todavía sigue pensando que la invasión a Irak fue un error desastroso, se opone al "repentino" aumento en el número de las tropas, y pide su inmediata reorganización para impedir que soldados estadunidenses sigan siendo víctimas de fuegos cruzados en la sangrienta guerra civil sectaria. No obstante, en 2006 cuando el congresista demócrata, John Murtha pidió la retirada inmediata, Obama habló ante el Consejo de Relaciones Exteriores de Chicago, diciendo, entre otras cosas, que Estados Unidos debería "manejar su salida de una manera responsable, con la esperanza de dejar una base estable para el futuro".

El columnista del *Washington Post*, David Broder, alabó a Obama por haber encontrado un "terreno común sensato" y por señalar "a la administración y al país una ruta realista y modestamente prometedora en Irak".

Desde el inicio de su campaña, Obama se esforzó por mirar con nuevos ojos las viejas interrogantes con las que los demócratas han luchado durante mucho tiempo. "Algunas veces", dijo el año pasado al hablar del control de los votos de la Derecha Cristiana por parte de los republicanos, "pienso que el Partido Demócrata simplemente asume que mientras las personas estén en la Iglesia, de alguna manera no podemos llegar a ellas, y que no tenemos nada en común. Eso simplemente no es verdad y ciertamente tampoco lo ha sido a lo largo de la historia". Y en lo que respecta a la Coalición Cristiana y otros grupos religiosos política-

"Hay en él optimismo y ausencia de ira", dijo el gobernador de Nueva Jersey, Jon Corzine al hablar de Obama (llevando los víveres de una clienta de un centro gratuito de distribución de alimentos, abajo; y visitando la antigua celda de Nelson Mandela en la prisión en Ciudad del Cabo en 2006, derecha). "Busca la manera de dar un marco positivo incluso a temas negativos".

mente activos, dijo: "las personas apegadas a la religión tienen que entender que la separación de la iglesia y el estado no está ahí sólo para proteger al estado de la religión, sino a la religión del estado".

Cuando apeló a los sindicatos para que aceptaran la globalización como una realidad de la vida, durante su campaña por el Senado, el escritor del *New Yorker*, William Finnegan, le preguntó si no estaba "ondeando una bandera roja frente a los trabajadores".

Obama contestó: "Mira, todos esos hombres usan zapatos Nike y compran estéreos Pioneer. No quieren que se cierren las fronteras. Simplemente no quieren que sus comunidades sean destruidas".

En lo relacionado a la atención general a la salud, Obama dijo que los demócratas no habían ejercido suficiente presión por miedo a ser atacados como "'los liberales que aplican impuestos y los gastan'". Pero esa no es una buena razón para no hacer algo", dijo. "No te das por vencido en la meta

"Algo de lo que estoy convencido es que la gente quiere algo nuevo".

Barack Obama

Oído agudo junto con una lengua de plata; como ocurrió en un foro en Boston (arriba), Obama escuchó cuidadosamente en una reunión de trabajadores de las plantas de armamento nuclear en Illinois (derecha, en 2006) y después los apoyó ante el Consejo Federal Asesor sobre Radiación y Salud de los Trabajadores.

de alcanzar atención general a la salud sólo porque no quieres ser catalogado como liberal. La gente necesita atención general a la salud".

"En mi opinión", le dijo a un reportero, "el asunto no es, ¿eres centralista o liberal? El asunto es, ¿lo que estás proponiendo va a funcionar? ¿Puedes construir una coalición funcional para hacer que la vida de las personas sea mejor? Y si puede funcionar, deberías apoyarlo sin importar que sea centralista, conservador o liberal".

En otra entrevista, Obama se describió como un político cuyos "valores están arraigados en la tradición progresista, en los valores de igualdad de oportunidades, de derechos civiles, de pelear por las familias trabajadoras, por una política exterior que se preocupe por los derechos humanos, por una fuerte creencia en las libertades civiles, en el deseo de saber cuidar del medio ambiente, en un sentido de que el gobierno tiene un papel importante, que las oportunidades están abiertas para todas las personas y que los poderosos no pisoteen a los menos poderosos".

En lo que respecta a su habilidad para comunicar su visión al electorado, Obama no tiene ninguna duda. "Confío en que si me llevas a una sala con un grupo de personas –ya sean blancas, negras, hispanas, republicanas o demócratas– dame media hora y saldré de ahí con los votos de la mayoría", le dijo al *Newsweek*. "No me siento restringido por raza, geografía o antecedentes cuando se trata de hacer una conexión con las personas".

Mantener esa conexión es uno de los aspectos de la política que Obama dice que más le gustan. Ha sido anfitrión de más de cuarenta reuniones con la gente de Illinois desde que empezó su periodo en Washington. En las sesiones, realizadas en preparatorias, universidades, bibliotecas o ciudades a lo largo del estado, Obama escuchaba preguntas y, como escribió en *La audacia de la esperanza*, "les respondo a las personas que me enviaron a Washington... Me preguntan sobre medicamentos, sobre el déficit, sobre los derechos humanos en Myanmar, sobre el etanol, sobre la fiebre aviar, sobre fondos escolares y sobre el programa espacial... Y al contemplar a la multitud, de alguna forma me siento animado. Veo en su porte el trabajo duro. En la forma en que tratan a sus hijos, veo la esperanza. Mi tiempo con ellos es como un chapuzón en un arroyo fresco. Después me siento limpio, contento por el trabajo que escogí".

Lo que dice Obama que menos le gusta de Washington es que no es su hogar, por lo menos no todavía. Durante las sesiones del Senado, arregla su horario de tal manera que pueda volar a Chicago los jueves por la noche, pasar el fin de semana con su familia y regresar a Washington el lunes. Obama hacía su mayor esfuerzo por ayudar a su esposa Michelle en la casa, estando pendiente de que sus hijas, Malia y Sasha, llegaran a tiempo a la escuela y a la casa, para asistir a sus clases de piano y de ballet, y hacer su tarea.

Michelle dirige los ambiciosos programas de relaciones comunitarias y de diversidad de los Hospitales de la Universidad de Chicago, además de ser ama de casa. La revista *Ebony* la describió como "la hermana trabajadora por excelencia". Pero como Michele le dijo a William Finnigan del *New Yorker*, el destino de la esposa de un político "es duro". Y es por eso que Barack es un hombre muy agradecido".

> **"Tenemos que tomar en serio la fe; no simplemente para bloquear el derecho religioso, sino para involucrar a todas las personas de fe en el gran proyecto de la renovación de Estados Unidos".**
>
> Barack Obama

Cuando Obama fue elegido para el Senado, él y Michelle estuvieron de acuerdo en que ella y las niñas se quedarían en Chicago en donde ella tiene un gran grupo de apoyo, con su madre y su hermano (su padre murió antes de que ella y Obama se casaran), sus parientes y amigos que viven cerca. "Tengo una gran aldea aquí", dijo

"La Tierra de Lincoln Ama al Senador Obama".

Letrero observado en una reunión en Illinois del AFL-CIO

"¡Obama!", dijo George W. Bush en una recepción de la Casa Blanca en 2005, un día antes de que Obama hiciera su juramento en el Senado. "Ven a conocer a Laura. Laura, recuerdas a Obama. Lo vimos en televisión la noche de la elección". Obama (en la Casa Blanca, arriba; llevando a las niñas a la escuela en Chicago, derecha; y viajando, recuadro) recuerda la escena en su libro: Después de estrecharnos las manos, "el Presidente se volvió a un ayudante que estaba cerca, quien le roció la mano con desinfectante". En la esquina superior derecha, Michelle habla en una clase de economía en la preparatoria de Elmhurst, Illinois.

Michelle a *Ebony*. "A menos de que hubiera sido absolutamente necesario, sentimos que lo mejor sería quedarnos cerca de nuestra base. Hemos comprobado que fue una decisión inteligente y [Barack] entendió la sabiduría de mi plan".

Cuando Obama llega a casa desde Washington o desde los viajes de campaña, tiene que dejar su súper estrellato en la puerta. "El que des un buen discurso no te hace Su-

"Son de los paparazzi. Dejen de verlas".

Barack Obama a reporteros que le hacían bromas sobre sus fotos en traje de baño

perman", le dijo Michelle a un reportero después del discurso de apertura que dio Obama en la Convención Demócrata de 2004. Y ella no ha sido tímida al decirles a los reporteros que él se acuesta tarde, no hace su cama y deja los calcetines sucios en el suelo.

Cuando Obama empezó a considerar lanzar su candidatura para la presidencia, Michele le dijo que le daría su bendición sólo si estaba de acuerdo en dejar de fumar, un hábito de toda la vida que fue capaz de dejar durante un tiempo pero que retomó durante la estresante campaña por el Senado. En esa época ya fumaba muy poco y estuvo de acuerdo en dejar de fumar por completo.

Aún a distancia, Michele se asegura que él mantenga las cosas en perspectiva. Cuan-

Surfin U.S.A.: Un día en la playa en Hawai, Barack Obama jugando siendo niño (extrema izquierda); años más tarde, con una tabla para surf con sus hijas durante unas vacaciones en Hawai en la Navidad de 2006. Sólo unas semanas después, reveló que iba a intentar aprovechar una ola que los simpatizantes esperan lo lleve a la cumbre del éxito.

"La euforia es explosiva. Hemos estado tan desesperados los últimos seis años".

Mike Huxtable de Portsmouth,
New Hampshire, esperando ver a Obama

"Barack es el talento más singular en la política con el que me he topado en más de cincuenta años", dijo un demócrata de toda la vida, el cual, como muchos simpatizantes de Obama, dice que haría una campaña formidable. "Tiene la capacidad para llegar a diferentes grupos", dijo uno, "y hay en él un sentido de conexión". (Obama firma de autógrafos en New Hampshire en diciembre del 2006, arriba; estos botones estaban ahí a la venta, arriba).

do él le llamó desde el Capitolio para darle la noticia del avance que había conseguido en el Comité de Relaciones Exteriores del Senado para una propuesta de ley que estaba presentando como parte de un equipo y que restringiría el tráfico de armas en el mercado negro, ella lo interrumpió, como él lo describe en *La audacia de la esperanza*, mientras expresaba su entusiasmo por su triunfo legislativo.

"Tenemos hormigas".

"¿Qué?".

"Encontré hormigas en la cocina. Y en el baño de arriba... necesito que compres algunas trampas para hormigas cuando vengas camino a casa mañana".

"Colgué el teléfono", escribe Obama, "preguntándome si Ted Kennedy o John McCain también habrían tenido que comprar trampas para hormigas camino a casa al salir del trabajo".

Hasta que la temporada de las elecciones primarias estuvo en su máximo apogeo, Obama pasaba sus semanas de trabajo en un departamento de una recámara que rentaba en la Avenida Massachussets. Rara vez asistía a eventos sociales del Capitolio cuando estaba en Washington, prefería reunirse con sus colegas para charlar y tomar una cerveza o ir a cenar carne, discutiendo, sin duda, sobre política.

Para relajarse, hacía ejercicio en el gimnasio del Senado, jugaba basquetbol o veía juegos en televisión. A menudo, por la tarde, corría hasta el Monumento a Washington y algunas veces hasta el Monumento a Lincoln y subía los escalones hasta llegar al lugar en donde Martin Luther King Jr. dio su discurso "Yo tengo un sueño" en 1963, con el domo del Capitolio brillando a la distancia.

"Y en ese lugar pienso en Estados Unidos y en quienes lo construyeron", escribe en los últimos pasajes de *La audacia de la esperanza*, "y en personas como Lincoln y King, que, al final perdieron la vida al servicio de perfeccionar a una unión imperfecta... Es ese proceso del que quiero formar parte".

"Mi corazón está lleno de amor por este país".

"Él sabe que este es su momento".

Antiguo Senador Bob Kerrey refiriéndose a Obama

EL CAMINO HACIA LA PRESIDENCIA

6

"Y por eso, a la sombra del Antiguo Capitolio del Estado, en donde una vez Lincoln hizo un llamado pidiendo a una casa dividida que se uniera, donde las esperanzas y los sueños comunes todavía viven, hoy me presento ante ustedes para anunciar mi candidatura a la Presidencia de Estados Unidos."

Con esas palabras, dichas frente a una multitud que le aplaudía en una tarde fría pero clara de sábado, en febrero del 2007, Barack Obama lanzó lo que él denomina su propia cruzada para unir a una nación dividida. El escenario, el capitolio de Illinois en Springfield, era significativo porque, como señaló Obama, fue donde, en 1858, Abraham Lincoln dio su famosa advertencia: "Una casa dividida contra sí misma no puede sobrevivir." El problema que entonces sacudía a la nación hasta sus propios cimientos era la institución de la esclavitud. Ahora, dijo Obama, una nueva serie de problemas amenaza con dividirnos. "Todos sabemos cuáles son esos desafíos: una guerra que no termina, una dependencia del petróleo que

Una multitud de 15 000 personas desafió temperaturas congelantes para presenciar el histórico lanzamiento de la campaña de Barack Obama para llegar a la Casa Blanca, que se llevó a cabo en Springfield, Illinois. Como lo haría una y otra vez durante su campaña, Obama habló del legado de Abraham Lincoln, cuya propia candidatura para la presidencia también empezó en Springfield. (Obama hablando frente al edificio del Antiguo Capitolio del estado, izquierda; una joven partidaria en Springfield, derecha; recuadro: una partitura de la campaña de Lincoln en 1860).

amenaza seriamente nuestro futuro, escuelas donde demasiados niños están aprendiendo y familias que luchan cada mes para subsistir a pesar de que trabajan con tanto ahínco como pueden".

Después de enumerar los problemas de la nación, Obama pidió a los estadunidenses que se unieran y trabajaran juntos para encontrar una solución y lograr la "unión más perfecta" que quería Lincoln.

A lo largo de su discurso, Obama invocó al hijo favorito de Illinois, mientras la multitud vitoreaba entusiasmada:

"Decidí postularme para la presidencia en este momento de la historia porque creo profundamente que no podemos resolver los retos de nuestro tiempo si no los resolvemos juntos".

Barack Obama

"Mientras Lincoln organizaba las fuerzas contra la esclavitud, se le escuchó decir: 'Frente a elementos extraños, discordantes y hasta hostiles, nos reunimos desde los cuatro vientos, nos pusimos en formación y peleamos la guerra'. Ese es nuestro propósito aquí el día de hoy. Es por eso que me encuentro en esta carrera. No sólo para tener un cargo, sino para unirme a ustedes con el fin de transformar a una nación...

"Y si se unen a mí en esta difícil búsqueda... entonces estoy listo para dedicarme a la causa, marchar con ustedes y trabajar con ustedes. Juntos, a partir de hoy, terminemos el trabajo que se necesita hacer y anunciemos el nuevo nacimiento de la libertad en esta Tierra."

En la Tierra de Lincoln, las constantes referencias de Obama al hombre que en una ocasión describió como: "un abogado de Springfield alto, desgarbado y autodidacta",

resonaron de verdad. Y muchos en su audiencia se dieron cuenta, como era la intención de Obama, de que a pesar de sus obvias diferencias, el décimo sexto presidente republicano de raza blanca y el demócrata afroamericano que espera convertirse en el presidente número 44, tienen más en común que su altura física, sus antecedentes laborales y el estado que los adoptó.

Al igual que Obama, Lincoln sirvió cuatro periodos en la legislatura de Illinois antes de lanzarse como presidente. Fue elegido para la Cámara de Representantes en 1846 y sirvió un solo periodo en Washington. Como Obama, Lincoln era un crítico muy franco en relación con la guerra que estaba librando un presidente impopular.

La oposición de Obama a la guerra de Irak lo elevó a una importancia política en Illinois, donde esta guerra era bastante impopular. Pero la fuerte condena de Lincoln hacia la Guerra contra México del Presidente James Polk, no les agradó mucho a los votantes de su estado natal, de manera que él no se se postuló para ser reelegido en 1848.

Diez años después, Lincoln se postuló para el Senado de Estados Unidos. (El famoso discurso de la "casa dividida" que dio en Springfield, al que Obama hace alusión, fue la plataforma para la campaña de Lincoln por el senado en 1858). Pero a diferencia de Obama, que ganó la carrera para el Senado en el 2004, Lincoln perdió.

Dos años más tarde, cuando Lincoln se postuló para la presidencia, su principal oponente para la nominación de su partido fue el Senador del Estado de Nueva York. William H. Seward, ocho años mayor que Lincoln y antiguo gobernador de Nueva York, tenía una larga y distinguida carrera como servidor público y también era una figura nacional bastante conocida.

Parecía que en Lincoln, que había perdido en la etapa nacional sólo dos años antes, Seward tenía un contrincante indigno, un novato de las provincias conocido sólo por su talento como orador. Seward fácilmente podía describir a Lincoln como una persona que no era apta para portar el estandarte del partido y como alguien que tenía muy poca o casi ninguna oportunidad de ganar. Si Lincoln no era demasiado joven para ser presidente (tenía 51 años cuando se postuló; Obama tendrá 47 el Día de la Inauguración en 2009), ciertamente carecía de la experiencia necesaria para servir como comandante en jefe en momentos tan críticos de la historia de la nación.

Lincoln, por supuesto, ganó la nominación y después ganó la elección general.

Ahora, 147 años después de que Lincoln saliera de Sprinfield para embarcarse en su propia "difícil búsqueda", Obama, el "senador alto, desgarbado, que sólo lleva un periodo en el Senado por el estado de Illinois, se enfrentó a preguntas similares sobre su madurez, su experiencia y su aptitud para llegar a ser Presidente en un periodo de guerra. No tardó en plantearlas la senadora de Nueva York, que sería su principal oponente en su lucha por obtener la nominación de su partido.

Por tanto, no hay duda de por qué Obama invocó al Gran Emancipador durante su histórico anuncio mientras la multitud de simpatizantes en Springfield coreaba: "¡Obama! ¡Obama!".

"Él tenía sus dudas. Tenía sus derrotas. Tenía sus percances, pero con su voluntad y sus palabras, movió a una nación y ayudó a liberar a un pueblo," dijo Obama de Lincoln.

Como pasaría una y otra vez durante la campaña que inició entonces, muchos en la multitud se conmovieron por los simbolismos del momento cargados de emoción, al igual que por las palabras del candidato que podría llegar a ser el primer presidente de raza negra. Meses más tarde, después de escuchar hablar a Obama por primera vez, una mujer de Texas expresó lo que sentían

"Lo veo como un líder, no cómo un jefe", dijo Craig Newmark, fundador de Craigslist, refiriéndose a Obama (en Springfield el 10 de febrero de 2007). Un líder, dijo, inspira a sus partidarios para que lo ayuden a lograr las cosas, mientras que el jefe "te puede ordenar que hagas algo, por supuesto, pero lo haces porque es parte del contrato".

muchos de entre la multitud que llegaron a escucharlo a lo largo de la campaña:

"En mi opinión", le dijo la mujer a un reportero del *Washington Post*, "es verdaderamente posible que en el curso de mi vida un afroamericano pueda ser Presidente de Estados Unidos. Mi familia, mi madre, mis tías, mis tíos, podrán llegar a verlo en su vida. Eso casi me hace llorar tan sólo de pensarlo".

Después de su discurso de lanzamiento de campaña, Obama salió de Springfield y cruzó el Mississipi hasta Iowa, donde las primeras votaciones del Partido Demócrata se llevarían a cabo casi un año después, el 3 de enero del 2008.

A su paso, Obama dejó algunos oyentes deseosos de expresarle su apoyo. "Necesitamos a este hombre", dijo alguien con un fuerte acento de Chicago mientras la multitud se dispersaba. "Nuestra nación necesita a este hombre".

Otro dijo, "yo caminaría hasta Iowa, si tuviera que hacerlo, para ayudar a este hombre".

Obama no tuvo que hacer el viaje a pie, por supuesto. Pero a pesar de toda la eufo-

(Izquierda) Obama habla con los reporteros en un avión cuando se dirigía a Sioux City, Iowa, para continuar con su campaña, el martes 1 de enero de 2008. Su esposa dijo: "Si Barack no gana Iowa, sólo será un sueño". Obama en su campaña en Cedar Rapids, Iowa, el 2 de enero de 2008, el último día antes de la asamblea de Iowa (arriba).

ria de sus simpatizantes, tuvo que enfrentar los pronósticos desalentadores mientras se dirigía a Iowa, un estado donde las personas de raza negra sólo son el 2.5 por ciento de la población. Encuestas realizadas sólo cuatro meses antes, habían mostrado que una buena porción del público votante del país –un impresionante 37 por ciento– no tenía ni idea de quién era Barack Obama. Entre los votantes demócratas, menos del 10 por ciento lo consideraba un candidato viable.

La senadora de Nueva York, Hillary Clinton, que también se encuentra en su propia búsqueda histórica para convertirse en la primera mujer presidente, encabezó un grupo de candidatos mucho más conocidos que Obama, por un amplio margen.

En el otoño de 2006, mientras Obama recorría el país haciendo campaña por los demócratas en las elecciones de mitad de periodo y también en la gira promocional de su libro, se había empezado a generar un rumor anticipando del hecho de que llega-

A medida que su campaña progresaba, Hillary Clinton (presentada por su esposo en un rally en Iowa en julio de 2007, izquierda) hizo mejoras a su página web (abajo). Pero en las etapas iniciales de la campaña, se vio muy presionada para mantener el paso con Obama, quien recaudó una cifra record en línea. Su página web (derecha) es "bastante más dinámica que cualquier otra", dijo Christine Williams, una profesora de Medios en la Universidad Bentley, a la revista *Fast Company*.

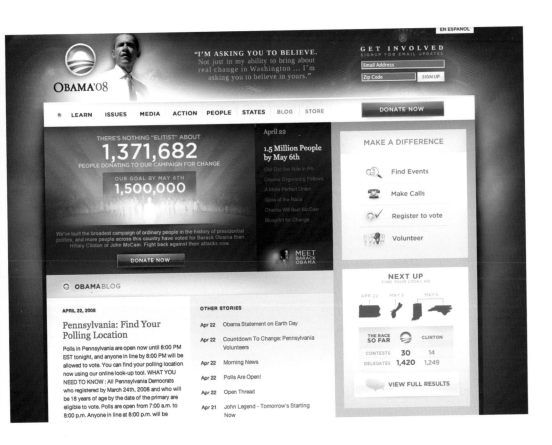

ría a ser candidato para la presidencia. Cuando dijo a los reporteros que sí estaba contemplando la idea de postularse, las encuestas mostraron una oleada de apoyo entre los votantes.

Pero las descabelladas expectativas de los simpatizantes estaban locamente fuera de sincronización con la realidad, de acuerdo a Aritmética Política, un sitio web que da a conocer las tendencias en las encuestas. Mientras dichas encuestas mostraban que el apoyo hacía Obama había aumentado a un impresionante 17 por ciento, el analista de la página declaró: "Cualquier interpretación sensata de esta información muestra que aunque el senador Obama ha disfrutado de una breve ráfaga de atención, está muy lejos de alcanzar a la favorita, la senadora Clinton, cuyas encuestas más recientes son el doble de altas".

Obama no sólo se enfrentó a una formidable oponente en Hillary Clinton, también se lanzó contra él la impecable maquinaria organizacional y de recaudación de fondos que su esposo había construido. La máquina de los Clinton se había puesto a prueba y había salida victoriosa en las dos campañas presidenciales de Bill Clinton y en las dos campañas por el Senado de Hillary.

Como dijo Obama al *New York Times* durante una entrevista, el solo nombre de su oponente, que contaba con el afecto de los demócratas, era en sí un desafío: "Estamos compitiendo con la marca mejor establecida dentro del Partido Demócrata durante las últimas dos décadas."

Aún así, la campaña de Obama tenía un tipo de organización política nuevo y diferente que ya se había puesto en marcha el día en que él anunció que se postularía. Una inteligente, sofisticada y muy eficaz presencia en Internet, incluía una página web de la campaña (barackobama.com) de fácil acceso, así como un grupo de sitios sociales y de conexión de redes, desarrollado en parte por el co-fundador de *Facebook*, Chris Hughes. Obama inmediatamente empezó a organizar a los simpatizantes, a alinear a los voluntarios y a recaudar fondos no sólo en-

organizar grupos de voluntarios para recorrer vecindarios o simplemente reunirse para platicar sobre lo que les gustaba de Obama.

En los estados primordiales clave, informó el *Time*, cuando "los primeros agentes pagados llegaron al área..., la máquina virtual de Obama ya estaba lista y funcionando".

Por ejemplo, el *Washington Post* informó que las mayores redes de partidarios en Texas organizadas en línea: Austin por Obama y San Antonio por Obama (así como grupos virtuales similares en otras grandes ciudades), "se crearon el 10 de febrero del 2007, el día que Obama anunció su candidatura para la Casa Blanca".

Los votantes pudieron estudiar la postura de Obama en diferentes temas y revisar sus discursos en su página web. También pueden usar un link para ver en You Tube el video viral, "Yes We Can [Sí podemos]", de will.i.am, un artista de hip hop, simpatizante de Obama. Los admiradores de Obama podían encontrar redes de personas con puntos de vista similares en *Facebook*, *LinkedIn* y en *MySpace*. Una voluntaria de Obama le dijo a la revista *Post* que el Internet no sólo era su medio favorito para seguir la campaña, sino que era su única fuente de noticias políticas. Ella no usaba medios que no fueran interactivos, dijo, añadiendo que sólo encendía la televisión para ver DVDs.

tre maizales de Iowa, sino en estados de importancia primordial en todo el país.

La revista *Time* llamó al papel que representó el Internet en la elección del 2008, "el cambio más grande en la política nacional desde el nacimiento de la televisión. Para millones de estadunidenses, el Internet ha convertido a la política presidencial en un acontecimiento completamente interactivo, en una oportunidad de dar dinero mediante unos clicks del mouse y ofrecerte como voluntario, virtualmente a millas de distancia".

Ninguna campaña fue más hábil en el uso de la nueva tecnología que la de Obama, declaró el *Time*. Mediante su página web, en la que se navega con fcilidad, los simpatizantes fueron capaces de descargar números telefónicos de posibles votantes,

Para la campaña de Clinton, la ventaja virtual de Obama significaba que tendría que igualarla. Citando a Simon Rosenberg, un veterano de la campaña de Clinton, que ahora dirige la Nueva Red Demócrata, la revista *Post* dijo que la campaña de la senadora Clinton se encontraba fija en el modelo de campaña del siglo XX: anuncios de 30 segundos en televisión, anuncios en las calles y 200 jóvenes en el cuartel general".

La campaña de Obama fue más al estilo del siglo XXI, informó *Post*: "Todos los días, gracias al Internet, sus simpatizantes trabajan por sus candidatos, contactando a sus amigos en diferentes sitios web, mandando correos electrónicos, viendo y creando videos y enviándolos en línea".

Dijo Rosenberg: "La campaña de Clinton perdió el *zeitgeist* (*espíritu de los tiempos*) del momento". Y añadió: "subestimaron el posible alcance del apoyo de Obama y están sufriendo las consecuencias".

El poder de recaudar fondos vía Internet a favor de Obama, se vislumbró clara-

"Por tanto, cuando hablo de un verdadero cambio que marcará una diferencia real en la vida de las familias de los trabajadores, un cambio que restaurará el equilibrio en nuestra economía y nos pondrá en camino a la prosperidad, no sólo es la retórica que se pone a prueba en las encuestas de una campaña política. Es la razón de mi vida. Y pueden estar seguros de que será la razón de mi presidencia desde el día en que tome posesión".

Barack Obama

mente durante los meses iniciales de la campaña.

En Iowa, la habilidad de Obama para atraer multitudes entusiastas y ampliamente diversas, se confirmó rápidamente pues numerosos simpatizantes y curiosos acudían a escucharlo hablar o simplemente a ver al carismático candidato. Todos en la política reconocieron rápidamente que Obama era un extraordinario candidato, así como un inspirado orador. A finales de junio, descubrieron también que era un imán para atraer dinero, más allá de cualquier comparación.

En el primer trimestre de 2007, su campaña informó que había recaudado 24.8 millones de dólares, que no es poca cosa. Pero luego, tres meses más tarde, llegó el anuncio de que la cantidad total de los primeros seis meses del año era una asombrosa cifra de 58 millones de dólares, una cantidad que

"Barack Obama tiene tres elementos que son deseables en un producto", dijo Keith Reinhard, ejecutivo de mercadotecnia, a la revista *Fast Company*, "es nuevo, diferente y atractivo. Es lo mejor que se puede tener". (Aquí, Obama destaca durante el primer debate demócrata en Carolina del Sur el 26 de abril de 2007).

"Creo que el tema principal de hoy es el peligro que enfrentamos en el extranjero", dijo una mujer de la Ciudad de Nueva York, la cual cambió su apoyo de Clinton a Obama (hablando en Carolina del Sur) el día de las elecciones primarias. "Va a ser bastante más difícil para Osama bin Laden convencer a los jóvenes en Pakistán de que odien a un país que eligió como presidente a un hombre negro que tiene un nombre africano. '¿Muerte a Estados Unidos?' No lo creo".

"Creo que no estamos tan divididos como lo sugiere nuestra política; que el sueño que compartimos es más poderoso que las diferencias que hay entre nosotros, pues yo soy la prueba viviente de ese ideal".

Barack Obama

supera lo que cualquier candidato haya recaudado en un lapso de seis meses durante un año en el que no hay elecciones.

Fue un logro en el área de recaudación de fondos que el director de la campaña de Obama, David Plouffe, describió como "algo que ninguna campaña presidencial hubiera soñado lograr en esta etapa del camino". Más de 250 000 donadores individuales contribuyeron, muchos de ellos, jóvenes que utilizaban el Internet para informarse sobre temas políticos, y que nunca habían donado para una campaña, añadió Plouffe. El resultado demostró, dijo, "que nuestro movimiento es mucho más grande y profundo que cualquier otro que se haya visto en la política presidencial".

Y Obama sólo estaba empezando. A pesar de lo impresionantes que fueron el número de donadores y la cantidad de dinero recaudado, esas cifras se empequeñecerían ante lo que ocurriría después. "Hay al menos ocho demócratas postulándose para la Presidencia", dijo Obama a fines del otoño de 2006, después de decir que probablemente se uniría a la carrera junto con los Senadores Clinton, John Edwards, Joe Biden y Christopher Dodd, así como el antiguo Senador Mike Gravel de Alaska, el Diputado de Ohio, Dennis Kucinich y el Gobernador de Nuevo México, Bill Richardson. "Yo diría que vamos a tener una temporada bastante 'calmada'".

Pero el estado de ánimo en el cuartel general de la campaña de Obama en Iowa, en el verano del 2007, parecía ser todo menos alegre tras la secuela de la primera serie de debates demócratas. Los comentaristas juzgaron que Obama había tenido grandes tropiezos durante el primer debate en abril, que se llevó a cabo en Orangeburg, Carolina del Sur. Su respuesta a una pregunta sobre la forma en que reaccionaría ante un ataque terrorista sorpresivo, fue muy poco convincente, opino Karen Tumulty, de la revista *Time*, parecía "más un candidato nominado para dirigir a los voluntarios del cuerpo de bomberos, ya que [su respuesta] se enfocó ante todo en como prepararse para un desastre".

Clinton, por el contrario, dijo Tumulty, "habló como toda una Comandante en Jefe: 'pienso que un Presidente debe actuar con la rapidez que la prudencia permita con el fin de responder al ataque'".

A pesar de las peticiones de su frustrado personal de que respondiera a los ataques de Clinton sobre su inexperiencia e inmadurez para aceptar las responsabilidades de la Oficina Oval, Obama se negó rotundamente a contraatacar. "Yo no soy ese tipo de persona", les dijo a los consejeros, quienes le pedían que "golpeara con más fuerza."

Como era incapaz de "reducir la importancia de la trayectoria de Hillary Clinton, que representaba una gran preparación y pronosticaba un éxito inevitable", escribió Tumulty, Obama "parecía destinado a co-

La sorpresiva victoria de Obama en Iowa fue "un momento decisivo en la historia", el hombre que antes había estado desamparado, ahora celebra en Des Moines la noche de la asamblea (izquierda, con su esposa Michelle y sus hijas Malia y Sasha). Al día siguiente, Clinton habló en New Hampshire (derecha), donde su victoria de la siguiente semana en las primarias, cambió las cosas temporalmente a su favor.

rrer la misma suerte que una larga línea de demócratas que surgieron: Gary Hart, Paul Tsongas, Bill Bradley y Howard Dean, entre otros". "Las promesas de estos candidatos sobre un nuevo tipo de política tuvieron una breve popularidad", señaló Tumulty, "solamente para ser hechas polvo por un favorito que estaba usando el manual estándar".

En una entrevista con el *New York Times,* Obama admitió que estaba desilusionado por su primera actuación. "Creo que no hay ninguna duda de que en los primeros dos debates, el formato no me funcionó. O tal vez, yo no me adapté al formato".

Pero, dijo, "no me interesa destrozar a Hillary Clinton. Creo que es una persona admirable y una senadora capaz... Eso no significa que ambos no tengamos que defendernos contra los ataques".

La cortesía de Obama pareció transmitirse a las audiencias como un tipo de desprendimiento que estaba por encima de todo. Un importante consejero de campaña le dijo a la revista *Time* que durante el verano de 2007 hubo un sentimiento de "pánico" entre los ayudantes de Obama. "Decían que 'se tenía que comprometer'".

En el otoño, finalmente lo hizo. En discursos y en entrevistas, Obama empezó a afirmar que era Clinton, y no él, la que no sería elegida en noviembre del 2008. Le dijo al *New York Times* que Clinton no podría realizar en Washington el tipo de cambio que los votantes desean con desesperación. "No creo que la gente sepa cuáles son sus proyectos", dijo. "Ha habido una tendencia cambiante en sus posiciones".

Ahora Obama estaba a la ofensiva y acusó a Clinton de utilizar el mismo tipo de "triangulación y de posiciones enfocadas en las encuestas" que marcaron la política de su esposo en los años 90. En lo relacionado con la guerra de Irak, ella continuamente ha sido evasiva en su postura, acusó Obama. "Sigo creyendo que en lo que concierne a uno de los mayores desastres de la política internacional de una generación, ella erró y yo acerté", le dijo al *Times.*

La nueva agresividad de Obama emocionó a su personal. "Ahora veo en él cierta alegría", dijo al *Times* el estratega de la campaña, David Axelrod. "Acabo de percibir ese tipo de enfoque increíble, esa energía, agudeza, alegría [que faltaron al principio]. Ahora, las tiene".

Mientras los votantes respondían en la misma forma, elevando aún más las cifras de Obama en las encuestas y reduciendo al mismo tiempo las cifras de Clinton, los líderes del Partido Demócrata le hicieron una advertencia. "Tiene que ser muy cuidadoso con la forma en que la ataca," dijo al *Time* Donna Brazilem que había sido directora de campaña de Al Gore. "No estoy convencida de que la campaña [de Obama] entienda la fuerza con que pelean los Clinton cuando sienten que se desafían sus derechos inalienables. No creo que estén listos para esto".

Después de un debate en el que sus oponentes parecieron amotinarse contra ella, Clinton se quejó con Katie Couric, comentarista de la cadena CBS, diciendo que la prensa había dado a los otros candidatos, en especial a Obama, "rienda suelta" para acosarla. "Después de que has sido atacada por varios oponentes, como yo lo he sido, no puedes simplemente absorberlo; tienes que responder".

La pelea que, dependiendo del punto de vista, estropearía o animaría la campaña durante los siguientes meses, había empezado en serio. Cuando Clinton dijo que a diferencia de Obama, si era elegida, no necesitaría entrenamiento, estando ya en el puesto, sobre política económica, Obama contraatacó: "Me encantaría comparar mi experiencia en economía con la de ella. Según tengo entendido ella no fue Secretaria del Tesoro durante la administración Clinton".

La campaña de Clinton vio con desdén la nueva estrategia de ataque de Obama. "Ellos han descartado la política de la esperanza", dijo el portavoz de Clinton, Howard Wolfson al *Time*. "Toda su actitud se basa en eso".

Con un carisma electrizante, Obama (haciendo campaña en New Jersey en la víspera del súper martes de las elecciones primarias de febrero, abajo) es capaz de llegar a los votantes como ningún otro político desde Jack y Bobby Kennedy, dicen algunos simpatizantes. Cuando Teddy, su hermano menor, apoyó a Obama (en Washington, el 28 de enero de 2008, derecha), Obama alabó a Kennedy, llamándolo el "León del Senado" y "un campeón para la clase trabajadora estadunidense, un feroz defensor de la atención general a la salud y un incansable partidario de dar a todos los niños de este país una educación de calidad". Sin duda los republicanos usarán el afecto que el candidato le mostró a Kennedy como munición en su propia campaña, describiendo a Obama como un hombre demasiado liberal para los estadunidenses comunes.

Obama respondió en el *Times*: "Me he divertido escuchando algunos de los comentarios que han salido del campamento de Clinton, en donde cada vez que señalamos una diferencia entre ella y yo, dicen: '¿Qué pasó con la política de la esperanza?', lo cual es ridículo. La idea de que de alguna forma cambiar el tono significa simplemente que los dejamos decir lo que quieran, o de que todos estamos tomados de las manos y cantando 'Kumbaya', obviamente no es la manera en que yo trabajo. La esperanza no ignora las diferencias o los problemas".

Las encuestas mostraron que Obama estaba alcanzando a Clinton, que incluso la estaba superando en Iowa y que le estaba ganando terreno en New Hampshire, donde las primeras votaciones de las primarias se llevarían a cabo el 8 de enero, sólo cinco días después de las asambleas tipo reunión municipal de Iowa. Obama hizo campaña en ambos estados durante la última semana de 2007, su ejército de voluntarios hacía 10 000 llamadas todas las noches a los demócratas, recomendándoles que salieran en defensa de sus candidatos durante la noche de la asamblea. Obama todavía consideraba que la carrera estaba muy pareja; según un informe noticioso, él llamó por teléfono a los líderes de la asamblea local, incluyendo a los jefes de policía de los condados y a otros funcionarios municipales, mientras hacía campaña a lo largo del estado.

A finales de 2007, Obama había estado haciendo campaña en Iowa y en otros lugares durante casi un año. Él y sus rivales demócratas habían participado en diez debates televisados a nivel nacional, y otros siete estaban programados para los dos primeros meses de 2008. "Hemos jugado cuatro cuartos del partido y ahora el juego apenas está comenzando", dijo el asesor de Obama, David Axelrod durante una entrevista con el *New York Times*.

El ritmo relativamente tranquilo de la temporada de las primarias, que se desenvolvió lentamente después de Iowa y New Hampshire, fue reemplazado por un proce-

so de ataque frontal que mandaría a los votantes de más de 30 estados a las urnas durante las primeras cinco semanas del año nuevo.

"Ahora," dijo Axelrod, "tienes una situación en la que haces campaña durante todo un año y luego el proceso se reduce a unas cuantas semanas frenéticas".

Cuando el *Time* presionó a Obama para que opinara sobre el "largo y brutal" proceso primario, él dijo que no tenía ningún problema con eso.

"Finalmente, el proceso revela aspectos del carácter y del discernimiento de una persona," dijo. "Estas dos cosas, junto con la visión, son los aspectos más importantes de una presidencia. '¿Sabes hacía donde quieres llevar al país? ¿Tienes el discernimiento

para determinar lo que es importante y lo que no lo es? ¿Tienes el carácter para resistir las pruebas y tribulaciones y para recuperarte después de un contratiempo?'"

En los primeros meses del agotador año de elecciones por venir, la respuesta de Obama a esas mismas preguntas se sometería a las pruebas más severas.

Después de 11 exhaustivos meses de hacer campaña sin cesar, el año de las elecciones finalmente comenzaba. Y para Barack Obama y sus simpatizantes, tuvo un inicio sensacional con su electrizante victoria en la asamblea de Iowa el 3 de enero. Su victoria rotunda en el abrumador estado blanco de Iowa, escribió el columnista del *Washington Post*, Eugene Robinson, "nos mostró el país donde nos gusta creer que vivimos".

"Fue uno de esos momentos en los que se te pone la piel de gallina: las multitudes entusiasmadas, las pancartas ondeando, el candidato y su familia muy al estilo Kennedy celebrando la imponente victoria".

"Dijeron que este día nunca llegaría", declaró Obama en su discurso para celebrar la victoria. De hecho, tan sólo siete años antes le habían dicho que diera carpetazo a sus aspiraciones políticas después de los atentados terroristas del 11 de septiembre

del 2001. Aperentemente, los votantes estadunidenses no iban a elegir a nadie que se llamara Barack Hussein Obama, para que formara parte del consejo de una ciudad, y

Una multitud de 20 000 personas saludó a Obama en Minnesota, izquierda; y Michelle Obama estuvo en compañía de Caroline Kennedy, la primera dama de California, Maria Shriver y Oprah Winfrey, en un rally en Los Ángeles el 3 de febrero de 2008.

Al acercarse las cruciales elecciones primarias de Pennsylvania, las encuestas mostraban que Obama (con trabajadores de U.S. Steel en Pennsylvania) no sólo estaba detrás de Clinton, sino que también estaba detrás de John McCain, entre los hombres blancos votantes, quienes favorecían al republicano por un desalentador 57 a 33 por ciento en toda la nación, según la revista *New York*.

mucho menos para que fuera Presidente de Estados Unidos.

Cuando los votantes en Iowa lo pusieron en el camino que lo podría guiar hacía esa meta casi inalcanzable, fue un "momento definitivo en la historia [de Estados Unidos]", proclamó Obama.

Pero la euforia de su victoria se fragmentó en el frío de New Hampshire, sólo cinco días más tarde con la también sorprendente victoria de Hillary Clinton en un estado donde los encuestadores habían predicho que ganaría Obama, basándose en la fuerza que logró tras la victoria en Iowa. En vez de eso, las encuestas realizadas a la salida de las urnas sugerían que Clinton había aprovechado "la ola de apoyo femenino" provocada por una conversación franca y emocionalmente honesta que tuvo con los votantes la víspera de las elecciones.

A partir de entonces, ese ímpetu continuaría fluctuando entre los dos candidatos rivales, como un metrónomo; el creciente apoyo que recibió la antigua primera dama, la llevó a ganar en Michigan y en Nevada, antes de que Obama resurgiera con lo que la prensa calificó como "una victoria imponente" en Carolina del Sur.

"Dejamos este gran estado con el viento a nuestro favor", se regocijó Obama.

Y eso parecía cuando, después de algunos días, en una emotiva conferencia de prensa, el senador Ted Kennedy le pasara la estafeta de sus hermanos mártires al candidato que en tantas ocasiones había sido comparado con ellos. "Hubo otra época, en que otro joven candidato se postuló para la presidencia y desafió a Estados Unidos a cruzar una nueva frontera", dijo Kennedy, recordando los temas de campaña de su difunto hermano, mientras Caroline, la hija de John F. Kennedy, estaba a su lado. "Él se enfrentó a las críticas del presidente demócrata anterior, a quien el partido respetaba ampliamente. Y John Kennedy contestó: 'El mundo está cambiando. Las antiguas formas no funcionarán. Ha llegado el momento de una nueva generación de liderazgo'.

"Y esto es lo que ocurre con Barack Obama".

La controversia desatada por los comentarios candentes hechos por el Reverendo Jeremiah Wright (con Obama en 2005) en la víspera de las elecciones primarias en Pennsylvania, fue rápidamente explotada por los especialistas en ataques de los conservadores. Uno de esos grupos subió a *You Tube* un video contra Obama que presentaba una filmación del candidato con un fondo musical combinado con las frases de Wright y un ritmo hip hop del grupo *Public Enemy*. "Se espera más del oscuro mundo de la sección fiscal 527, que vomitó el grupo republicano Swift Boat Veterans for Truth [Veteranos del barco veloz a favor de la verdad]", escribió John Heilemann de la revista *New York*, refiriéndose a la campaña bien financiada para desacreditar la ejemplar trayectoria de guerra de John Kerry durante la campaña presidencial de 2004.

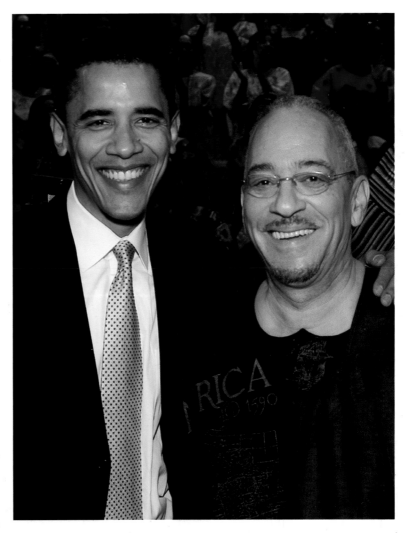

Pero nuevamente, el impulso de Obama pareció detenerse.

El enfrentamiento final que se esperaba el súper martes, el más importante de todos los días primarios, que se celebraría el 5 de febrero, cuando los votantes en más de 20 estados y protectorados emitirían su voto, no produjo un claro ganador. Cuando se esparció el humo, Clinton había ganado el premio principal, California, así como Massachussets, a pesar del apoyo de la familia Kennedy hacia Obama. Sin embargo, ambos candidatos tenían derecho a presumir. Obama ganó más estados, 13 contra los 8 de Clinton. Mientras que Clinton obtuvo una ligera ventaja en la batalla total de delegados, con un total de 892 en contra de los 716 de Obama, ningún candidato se acercó siquiera a los 2 025 que se necesitaban para ganar la nominación.

Sin embargo, en el curso de las siguientes semanas, el impulso pareció irse nuevamente del lado de Obama. Continuó atrayendo grandes y entusiastas multitudes a los lugares donde hablaba. Los simpatizantes que usaban botones que decían: "Barack'n roll", animaban a los reporteros a que nuevamente compararan la recepción que tenía Obama en los rallies con la "bienvenida que recibían las estrellas de rock." (Convenientemente, el 10 de febrero, se le entregó a Obama su segundo Grammy, por el audiolibro de *La audacia de la esperanza*). Al final del mes, había barrido con 11 elecciones primarias consecutivas y asambleas y se ha-

bía adelantado a Clinton en la importantísima carrera por obtener delegados.

Mientras que la contienda se movía a los estados cruciales de Texas y Ohio, en donde se llevarían a cabo las primarias el 4 de marzo, los expertos predijeron que se concluiría el drama de una vez por todas, y los simpatizantes de Obama hablaban del candidato con un fervor casi religioso.

"Ya sea que gane o no la nominación, ya sea que llegue o no hasta la Casa Blanca", dijo un voluntario de Obama en Texas al diario *Washington Post*, "éste es un movimiento. Un movimiento es cuando te involucras emocionalmente y ahí es donde me encuentro".

El congresista de Georgia, John Lewis, el cual cambió su apoyo de Clinton a Obama en la víspera de las primarias del 4 de

marzo, dijo: "Su ascenso es el movimiento político más conmovedor y emocionante que he visto en mi vida". Éstas ciertamente fueron grandes palabras de alabanza al provenir de Lewis, un líder de "El Movimiento", la cruzada por los derechos civiles de la década de 1960.

"En contra de lo que afirman algunos de mis críticos, negros y blancos, nunca he sido tan ingenuo como para creer que podemos superar nuestras divisiones raciales en un solo ciclo de elecciones o en una sola candidatura; en especial una candidatura tan imperfecta como la mía".

Barack Obama

Pero cuando se contaron los votos, Clinton había ganado los disputados estados de Texas y Ohio. "Ningún candidato en la historia reciente –haya sido demócrata o republicano– ha ganado la Casa Blanca sin haber ganado antes las primarias de Ohio", Clin-

Rodeado de banderas de Estados Unidos mientras daba su conmovedor y perspicaz discurso de campaña en Filadelfia, el 18 de marzo, Obama pudo controlar la tormenta desatada por el Reverendo Wright. Pero en abril, después de perder en las primarias de Pennsylvania y enfrentarse a otra serie crucial de primarias en Indiana y en Carolina del Norte, Wright repitió muchas de sus afirmaciones en una gira bastante publicitada por la prensa. En respuesta, Obama, cuya asociación con el pastor que lo casó y que bautizó a sus hijas, hizo que sus adversarios cuestionaran su patriotismo y su capacidad de discernimiento, repudió con enojo a Wright en un discurso el 29 de abril, en el que dijo que los comentarios del predicador causaban "división y destrucción" y eran "un insulto a lo que hemos estado tratando de hacer en esta campaña".

Después de que John McCain ganara la nominación de su partido en Florida (arriba), la cada vez más dividida pelea entre Clinton y Obama (en un rally en Texas, derecha) causó que los republicanos se regocijaran. "Los demócratas se están destruyendo entre ellos", dijo un estratega republicano a Heilemann del *New York*. "Se están dedicando a matar a Obama. Sería como matar a Santa Claus la mañana de Navidad, los niños no lo perdonarán ni lo olvidarán". El gurú republicano Karl Rove dijo: "Los demócratas que apoyan a McCain son casi el doble de los republicanos que apoyan a Obama, y los demócratas que apoyan a McCain son casi el triple de los republicanos que apoyan a Clinton. Los medios están nerviosos a causa de estos 'Obama-canos'", en un discurso en marzo. "La verdadera historia de esta elección son los 'McCain-cratas'".

ton les recordó a sus simpatizantes en el rally por su victoria.

Pero a pesar de las pérdidas, Obama seguía a la delantera con respecto a los delegados, gracias a las victorias en Vermont y a la porción de la asamblea en las primarias en Texas.

Días después de las primarias, la Comisión Federal Electoral dio a conocer unas cifras que mostraron otro tipo de impulso

–el dinero– el cual estaba definitivamente a favor de Obama.

Su campaña, reportó la Comisión Federal Electoral, había recaudado la impresionante cantidad de $55 millones de dólares en el mes de febrero, una cifra récord para un solo mes que alguna vez haya logrado algún candidato presidencial. Una vez más, la cantidad comprobó el potencial que tenía la campaña de Obama para

recaudar fondos, los cuales llenaron las arcas con las contribuciones de 727 972 donaciones individuales solamente en el mes de febrero. Hasta la fecha, Obama había recibido donaciones de casi 1.5 millones de simpatizantes, mucho más que cualquier otro candidato, según el diario *Los Angeles Times.*

Con las subsecuentes victorias en Wyoming y en Mississippi, Obama empezó a recibir el apoyo de muchos de los llamados súper delegados, luminarias del partido, funcionarios demócratas electos, cuyos votos podrían ser la diferencia en determinar quién ganaría la nominación en la convención demócrata en agosto.

Una vez más, el impulso parecía estar del lado de Obama, mientras él y Clinton dirigían su atención a Pennsylvania, la última gran batalla de las primarias –y posiblemente la decisiva– antes de la Convención.

Entonces, hizo su aparición el equivalente político de un tsunami. La causa, como el terremoto submarino que ocurrió a miles de millas de distancia, fue una serie de antiguos sermones del pastor de Obama, el Reverendo Jeremiah Wright, los cuales habían sido grabados en la Iglesia de la Trinidad Unida de Cristo en Chicago, poco después de los ataques terroristas del 2001. "Maldito sea Estados Unidos", gritaba Wright en las cintas, las cuales fueron transmitidas por televisión una y otra vez.

La onda expansiva amenazó con descarrilar una campaña que hasta ese momento, había sido elogiada por su eficiencia sin problemas.

"Este Otoño", dijo Obama en un caluroso discurso después de la victoria en las elecciones primarias de Carolina del Norte el 6 de mayo (izquierda), que fue su aparición como el presunto nominado, "nuestra intención es marchar hacia delante como un solo Partido Demócrata, unido por una visión común de este país. Pues todos estamos de acuerdo en que en este momento determinante de la historia, un momento en el que estamos enfrentando dos guerras, una confusión económica y un planeta en peligro, no nos podemos dar el lujo de darle a John McCain la oportunidad de servir el tercer periodo de George Bush. Necesitamos un cambio en Estados Unidos".

Obama respondió dando un emotivo y poderoso discurso el 18 de marzo, en el cual, aprovechó la controversia con respecto a Wright para abordar el problema racial que es fuente de divisiones.

Aunque condenaba las palabras de Wright, Obama las atribuyó a sentimientos de amargura y enojo que estaban tan enraizadas y extendidas entre los negros, como resultado de los terribles legados de la esclavitud y segregación. Para Wright y los de su generación, "los recuerdos de humillación, duda y miedo, no han desaparecido", dijo Obama.

Los estadunidenses blancos deberían tener esto en mente, sugirió, así como los negros deberían entender que los blancos también se sienten heridos "cuando se les dice que lleven a sus hijos a una escuela al otro lado de la ciudad; cuando escuchan que un afroamericano está teniendo ventaja para conseguir un buen trabajo... cuando se les dice que sus temores con respecto al crimen en un vecindario urbano de algún modo brotan de sus prejuicios".

Su discurso que recibió amplias y extravagantes alabanzas, pareció neutralizar la crisis al principio. Pero Obama y sus simpatizantes tuvieron que contemplar una dolorosa ironía: La campaña que Obama había lanzado el año anterior, invocando el discurso de Lincoln donde dijo que "una casa dividida no puede sobrevivir", se vio amenazada un año después por el explosivo asunto del racismo que causaba división, cuyas raíces se entrelazaban con el problema de la esclavitud, del que Lincoln había hablado en Springfield exactamente 150 años antes.

Tan pronto como Obama parecía haberse recuperado, brotó otra controversia relacionada con esto. Al dirigirse a simpatizantes en un evento para recaudar fondos en San Francisco, volvió a hablar de la amargura que tenía la clase trabajadora de blancos, cuyos resentimientos y frustraciones los obligaban a "aferrarse a sus armas, a la religión o a la antipatía hacia personas que no son como ellos... como un medio para expresar sus frustraciones".

Hillary Clinton no fue la única en condenar el comentario, que compañeros demócratas y comentaristas de ambos lados de la línea divisoria, denunciaron como evidencia de que Obama era elitista y estaba fuera de contacto con la clase trabajadora.

"No, sí estoy en contacto", dijo Obama en un rally de la campaña después de que el republicano John McCain, que se suponía que sería nominado, se unió al coro de la condena. "Sé exactamente lo que está pasando. La gente ya está harta, está enojada, frustrada, amargada y quiere ver un cambio en Washington. Es por eso que me postulé para la presidencia de Estados Unidos de América."

Mientras Hillary Clinton prometió continuar su lucha hasta la convención demócrata en agosto, los expertos declararon que la carrera había terminado en mayo. Recuperándose de su pérdida en Pennsylvania con un triunfo arrollador en Carolina del Norte y una fuerte ventaja en Indiana, Obama aumentó su ventaja en el recuento de delegados, atrajo delegados cruciales a su causa y estuvo preparado para la victoria de su "difícil búsqueda" de la nominación.

Si tiene éxito al obtener su más grande sueño de convertirse en el Presidente de Estados Unidos, está por verse. Pero no hubo ninguna duda de que Obama, el hijo de una madre blanca y de un padre negro, que apeló, como Lincoln, al pueblo de Estados Unidos para que se uniera y construyera una unión más perfecta, electrizó a su partido, inspiró a una nueva generación de votantes y añadió un capítulo dramático y conmovedor a la historia de la nación.

En Swahili, el idioma de su padre, Barack significa "bendición" o "bendición de Dios". En hebreo, Obama ha dicho que significa "relámpago."

Lo que resulte ser Barack Obama –un hombre destinado a la Casa Blanca o un destello que iluminó el cielo momentáneamente– lo más seguro es que la imagen que deja, ya sea duradera o fugaz, será una imagen que se recordará como una de esperanza, idealismo y fe en la promesa de Estados Unidos.

Esta obra se terminó de imprimir en el mes de
julio de 2008 en los talleres de
Edamsa Impresiones, S.A. de C.V.
con domicilio en Av. Hidalgo 111
Col. Fracc. San Nicolás Tolentino
C.P. 09850 Delg. Iztapalapa